[改訂版]
賞与の決め方・運用の仕方

荻原 勝 [著]

経営書院

はじめに

　毎月支払われる給与（月給）は、法律上「労働の対価」という性格を持っています。このため、労働基準法は、「給与は、毎月１回以上、一定の期日を定めて支払わなければならない」と規定しています。

　これに対して、夏季と年末の２回、業績に応じて支払われる賞与（一時金）は、「労働の対価」ではありません。したがって、賞与を支払うか支払わないかは、あくまでも各社の自由です。支給額をいくらにするかも、各社の自由です。

　それにもかかわらず、多くの会社は、年２回、相当額の賞与を支払っています。業績があまり良くないのに、社員の勤労意欲の向上と生活の安定を考えて、賞与を支払っている会社も少なくありません。

　賞与を支払う以上、会社は、その支給総額と個人別支給額とを合理的に決めることが望ましいといえます。

　本書は、
　・賞与の支給総額をどのように決めるか
　・賞与の個人別支給額の決め方には、実務上どのような方式があるか
　・賞与の人事考課はどのように行うべきか
を、実務に即して具体的に解説したものです。その内容に応じて、次の９章構成としました。

　　第１章　賞与の支給
　　第２章　個人別支給額の決め方
　　第３章　賞与の人事考課
　　第４章　人事考課の納得性向上策
　　第５章　部門業績係数の決め方
　　第６章　業績連動型の賞与制度

第7章　賞与に関する労使協定
第8章　パートタイマーの賞与
第9章　給与・賞与費と総人件費の管理

　人事・給与管理の実務において役立ててもらうため、随所に「規程」と「様式」を掲載しました。

　人事・給与管理は、合理的・効率的に行われることが必要です。本書が人事・給与管理の現場において役に立つことを願っています。

　最後に、本書の出版に当たっては、経営書院の皆さんに大変お世話になりました。ここに記して、厚く御礼申し上げる次第です。

改訂について

　初版の発行以降、経営環境は大きく変化しました。そこで、内容の一部を改訂しました。

　本書が、初版と同じように、賞与制度の設計と運用において役に立つことを願っています。

2022年秋
荻原　勝

『賞与の決め方・運用の仕方』

目　　次

はじめに

第1章　賞与の支給

1　賞与の支給 ………………………………………………………… 1
2　賞与の支給時期と支給回数 ……………………………………… 3
3　賞与の算定期間 …………………………………………………… 4
4　賞与の支給対象者 ………………………………………………… 5
5　新卒者・中途採用者の賞与 ……………………………………… 7
6　賞与の支給額 ……………………………………………………… 9
7　個人別支給額の算定方式 ………………………………………… 12
8　制裁と賞与の減額処分 …………………………………………… 15
9　業績不振時の賞与の取り扱い …………………………………… 15
10　賞与規程の作成 …………………………………………………… 17
　（参考）賞与規程 …………………………………………………… 19
　(1)　標準的な規程 ………………………………………………… 19
　(2)　「基本給×平均支給月数×出勤率＋人事考課分」という算定式を明示した規程 ……………………………………………………………… 21
　(3)　「基本給×平均支給月数×出勤率×人事考課係数」という算定式を明示した規程 ……………………………………………………………… 23
11　賞与費の予算管理 ………………………………………………… 25
12　賞与費予算制度の実施要領 ……………………………………… 28

iii

第2章　個人別支給額の決め方

1 個人別支給額の決め方 …………………………………… 30
2 基礎給×平均支給月数×出勤率 ………………………… 32
3 基礎給×平均支給月数×出勤率＋人事考課分 ………… 33
4 基礎給×平均支給月数×出勤率＋定額（定率）加算 ………… 38
5 基礎給×平均支給月数×出勤率＋人事考課分＋定額・定率加算
　 ……………………………………………………………… 40
6 基礎給×平均支給月数×出勤率×人事考課係数 ……… 42
7 基礎給×平均支給月数×出勤率×人事考課係数＋定額・定率加算
　 ……………………………………………………………… 46
8 基礎給×平均支給月数×部門業績係数×出勤率 ……… 47
9 基礎給×平均支給月数×部門業績係数×出勤率＋人事考課分
　 ……………………………………………………………… 49
10 基礎給×平均支給月数×部門業績係数×出勤率×人事考課係数
　 ……………………………………………………………… 50
11 基礎給の取扱い …………………………………………… 51
12 欠勤・遅刻・早退控除（出勤率の算定） ……………… 53
13 人事考課分の予算額超過対策 …………………………… 59
14 算定方式の見直し ………………………………………… 66

第3章　賞与の人事考課

1 賞与の人事考課の項目 …………………………………… 69
2 考課のウエイト付け ……………………………………… 76
3 人事考課の方法 …………………………………………… 77
4 考課者 ……………………………………………………… 80

	5	考課の基準 ………………………………………………… 81
	6	人事考課表のモデル …………………………………… 83
	7	人事考課マニュアルの作成 …………………………… 98
	（参考）人事考課マニュアル …………………………… 99

第4章　人事考課の納得性向上策

1	人事考課への不満 ………………………………………… 102
2	二次考課の実施 …………………………………………… 103
3	再考課の依頼・指示 ……………………………………… 105
4	部門間の考課格差の調整 ………………………………… 106
5	考課結果のフィードバック制度 ………………………… 108
6	苦情の受け付け …………………………………………… 110
7	考課項目等の公開 ………………………………………… 111
8	目標管理制度の実施 ……………………………………… 112
9	自己評価制度の実施 ……………………………………… 115
10	考課者研修の実施 ………………………………………… 121

第5章　部門業績係数の決め方

1	部門業績係数と部門評価の指標 ………………………… 122
2	部門業績係数の決め方 …………………………………… 124
3	業績係数の格差 …………………………………………… 129
	（参考）部門業績係数算定基準 …………………………… 130
	(1) 業績の区分に応じて決める方式 ……………………… 130
	(2) 業績のランキングに応じて決める方式 ……………… 132

v

第6章　業績連動型の賞与制度

1　業績連動型賞与制度の趣旨 …………………………………… 134
2　対象社員の範囲 ………………………………………………… 136
3　業績指標（準拠指標） ………………………………………… 137
4　業績の算定期間と支給時期 …………………………………… 140
5　最低保障と上限の設定 ………………………………………… 142
6　支給原資の算定方式 …………………………………………… 146
7　部門業績連動型の賞与制度 …………………………………… 149
（参考）業績連動型の賞与規程 …………………………………… 155
⑴　会社全体の業績で支給総額を決め、最低保障のないもの ……… 155
⑵　会社全体の業績で支給総額を決め、最低保障のあるもの ……… 157
⑶　前年度の業績に応じて年間の支給総額を決めるもの …………… 159
⑷　事業部門ごとに業績連動制を適用するもの ……………………… 161

第7章　賞与に関する労使協定

1　賞与の支給対象者の労使協定 ………………………………… 163
（参考）賞与の支給対象者に関する労使協定 …………………… 164
2　支給額の最低保障の労使協定 ………………………………… 166
（参考）賞与支給額の最低保障に関する労使協定 ……………… 168
3　年間支給月数に関する労使協定 ……………………………… 169
（参考）年間賞与に関する労使協定 ……………………………… 172
4　支給原資の業績連動制の労使協定 …………………………… 174
（参考）賞与の支給原資に関する労使協定 ……………………… 177
5　支給額の格差制限の労使協定 ………………………………… 179
（参考）賞与の支給月数の格差制限に関する労使協定 ………… 181
6　事業部門間の格差制限の労使協定 …………………………… 183

（参考）事業部門間の賞与の支給格差の制限に関する労使協定 ········ 185
7　店舗部門の支給額算定の労使協定 ····························· 186
　（参考）店舗部門の賞与の算定方式に関する労使協定 ············· 189
8　欠勤・遅刻控除の労使協定 ··································· 191
　（参考）賞与の欠勤・遅刻・早退控除に関する労使協定 ··········· 193
9　出向者の給与・賞与の労使協定 ······························· 194
　（参考）出向社員の給与・賞与に関する労使協定 ················· 196

第8章　パートタイマーの賞与

1　賞与の支給 ··· 197
2　賞与の支給対象者と算定期間 ································· 198
3　支給額の決め方 ··· 201
4　賞与のための人事考課の項目と評価の方法 ····················· 206
5　人事考課表のモデル ··· 210

第9章　給与・賞与費と総人件費の管理

1　経営と給与・賞与費の管理 ··································· 217
　（参考）給与・賞与費管理規程 ································· 221
2　経営と総人件費の管理 ······································· 230
　（参考）総人件費管理規程 ····································· 236

第1章 賞与の支給

1 賞与の支給

(1) 給与と賞与

① 給与の性格

社員に対しては、毎月給与が支払われます。毎月の給与は、「労働の対価」と「生計費の保障」という２つの性格を有しています。給与は、労働の対価であると同時に、本人と家族の生活費・生計費を保障するという性格を持っています。

給与が安定的・定期的に支払われないと、日常生活に大きな支障が生じます。このため、労働基準法は、「給与は、毎月１回以上支払わなければならない」など、５つの原則を定めています（第24条第２項）。

図表1－1　給与支払いの5原則

①	給与は、通貨で支払わなければならない。
②	給与は、労働者に直接支払わなければならない。
③	給与は、その全額を支払わなければならない。
④	給与は、毎月1回以上支払わなければならない。
⑤	給与は、一定の期日を定めて支払わなければならない。

② **賞与の性格**

　会社は、消費者や取引先に対して商品・サービスを販売して利益を上げることを目的とする組織です。利益を上げることができなければ、会社は存続していくことができません。

　会社の立場からすると、安定的・継続的に利益を上げられることが理想です。しかし、他社との競争が激しいこともあり、利益を上げられるときもあれば、上げられないときもあります。業績が良いときもあれば、良くないときもあります。

　毎月の給与が「労働の対価」「生計費の保障」という性格を持つのに対して、賞与は「業績の還元」という性格を持つもので、業績（売上・利益）が良好であったときに、一時的・臨時的に支給されるものです。実際、賞与を「一時金」と呼んでいる会社も少なくありません。賞与を支給するか支給しないか、支給する場合、その金額をいくらとするかは、各社の自由な判断に委ねられています。労働基準法で賞与の支給が義務付けられているわけではありません。

　賞与の支給は各社の自由ですが、規模の大小や業種のいかんを問わず、大半の会社が賞与を支給しています。

　賞与を支給しないと、人事管理・雇用管理において、「優れた人材を募集・採用できない」「採用した社員が定着しない」など、さまざまな問題が発生する可能性があります。

図表１－２　賞与を支給しない場合の問題点

・優れた人材を募集・採用できない
・会社が必要とする数の社員を採用できない
・社員の定着が良くない
・優れた人材が他社に流出する
・社員の勤労意欲が低下する

2　賞与の支給時期と支給回数

　会社の経営を合理的に行うためには、売上・受注・利益などを正確に把握することが必要です。会社の場合、業績は、決算年度を通じての業績を計算するとともに、上期（上半期）と下期（下半期）とに分けて計算するのが一般的です。もちろん、業績は月ごとにも計算しますが、月ごとの業績計算は、半期または年度の業績計算の１つの作業という性格があります。

　このように、業績の計算が年度と上期・下期を単位として行われることに対応して、賞与（一時金）の支給については、

・夏季と年末の２回支給する
・決算時に支給する（年１回）
・夏季と年末のほか、決算時にも支給する（年３回）

などがあります。

　これらのうち、どの方法を採用するかは、個々の会社の自由です。

　賞与を支給している会社について、その取扱いを見ると、「夏季と年末の２回支給する」という方式を採用しているところが圧倒的に多いのが実態です。

　新聞やテレビは、夏季や年末には賞与の支給状況を大きく報道します。また、小売業は、夏季と年末になると、賞与を当て込んで大規模

な特別セールを展開します。

　社員も、夏季と年末に賞与（ボーナス）が支給されることを当然のこととして受け止め、レジャーや消費の計画を立てます。

　いまや年2回の賞与（ボーナス）の支給は、一般市民の生活と会社の経営に定着しています。

3　賞与の算定期間

　賞与制度を合理的に運用するためには、その算定期間を業務の実態に応じて適切に定めることが必要です。

　算定期間を定め、その期間の業績に応じて賞与の支給額を決定します。

　算定期間をどのように決めるかは、もとより会社の自由ですが常識的に判断して、支給日にできる限り近接した期間とすべきでしょう。例えば、6月10日前後に夏季賞与を支給するのであれば、前年の10月1日以降、あるいは11月1日以降の6ヶ月を算定期間とするのがよいでしょう。

図表1－3　賞与の算定期間

	算定期間
夏季賞与	前年11月21日～当年5月20日 前年10月1日～当年3月31日 前年11月1日～当年4月30日
年末賞与	5月21日～11月20日 4月1日～9月30日 5月1日～10月31日

4 賞与の支給対象者

(1) 業績への貢献と勤務期間

　社員は、日常の仕事を通じて会社の業績に貢献する義務を負っています。

　営業業務に携わる社員は、取引先や消費者に対する商品の販売という営業活動を通して会社の業績に貢献すべき義務があります。工場において生産業務を行う社員は、生産業務を通して会社に貢献すべき義務を負っています。

　会社では、さまざまな業務が行われていますが、どのような業務であっても、その業務を通じて業績に貢献するためには、一定の期間勤務して仕事の知識・技術または技能を習得し、一定の期間仕事に従事することが必要です。

　一般的に、専門的な知識・技術を必要とする仕事であればあるほど、貢献するための準備期間が長くなります。

　賞与は、基本的に「業績の還元」「成果の配分」という性格を持つものです。このため、「会社の業績に貢献したかどうか」を個人別に評価し、「業績に貢献した」と判断される者に支給するのが公正な方法といえるでしょう。

　しかし、賞与の支給の都度、社員一人ひとりについて、「業績に貢献したか」を評価することは、現実的に相当程度困難です。敢えて業績評価を強行すると、評価の基準や方法などをめぐって社員との間においてトラブルが生じる恐れがあります。

　業績評価については、一定の客観的な基準を設けて統一的・機械的に行うのが現実的・合理的です。この場合、客観的な基準として、「勤続期間」が考えられます。すなわち、「算定期間を通じて、一定の期

間勤務したこと」をもって、「業績に貢献した」とみなすことにします。

例えば、夏季賞与の場合であれば、「夏季賞与の算定期間である前年12月1日～当年5月31日において、3分の2（あるいは2分の1、あるいは100日）以上勤務した者」を支給対象者とします。

図表1－4　賞与の支給対象者

出勤割合基準	（例1） 算定期間の2分の1以上勤務した者に支給する。 （例2） 算定期間の3分の2以上勤務した者に支給する。 （例3） 算定期間の4分の3以上勤務した者に支給する。
出勤日数基準	（例1） 算定期間中60日以上勤務した者に支給する。 （例2） 算定期間において100日以上勤務した者に支給する。

(2) 支給日に在籍しているか

賞与の算定期間中は在籍していても、その後に退職し、支給日には在籍していないというケースが出ることがあります。

例えば、夏季賞与の算定期間を「前年12月1日～5月31日」、支給日を「6月20日」としている場合、5月末日までは勤務していたが、その後個人的な事情で退職し、6月20日には在籍していないというケースです。

賞与は、「労働の対価」「労務提供の見返り」として支払われるものではありません。「業績の還元」として支払われるものです。また、賞与を支給するかしないかは、本来的に会社の自由に委ねられています。

支給日に在籍していない者に対して賞与を支給するかしないかは、あくまでも会社の自由です。支給しないからといって、会社の法的責任が問われることはありません。

一般的に、支給日に在籍していない者に賞与を支給することについて、在籍社員は、多かれ少なかれ抵抗感を抱くでしょう。また、一般に、会社が賞与の支給原資として用意できる金額は限られています。このため、支給日に在籍していない者に対しては、賞与を支給しないことにするのが妥当でしょう。

なお、支給日に在籍していない者に対しては賞与を支給しないことにするときは、就業規則（賃金規程）において、「賞与の支給日に在籍していない者に対しては、賞与を支給しない」と明記しておくべきでしょう。

図表１－５　支給日に在籍していない者への賞与の支給

①　賞与は、労務提供の対価として支給されるものではないので、支給日に在籍していない者に対して支給すべき義務はない。
②　支給日に在籍していない者に対しては賞与を支給しないときは、就業規則（賃金規程）において、「賞与の支給日に在籍していない者に対しては、賞与を支給しない」と明記する。

5　新卒者・中途採用者の賞与

会社は、退職者が出たときに、その補充のために中途採用者を募集・採用するのが一般的です。

また、多くの会社が毎年4月に高校・大学等の新卒者を定期的に採用しています

　中途採用者、新卒者で、勤続が6ヶ月に満たない者の取扱いについては、

① 一般社員と同じ基準を適用し、勤続期間、出勤率等に応じて支給する
② 一般社員とは別建ての支給率を適用する
③ 定額を支給する

などがあります。

　これらのうち、①の方式が最も多く採用さています。

図表1－6　新卒者・中途採用者の取り扱い

	例
① 一般社員と同じ基準を適用し、勤続期間、出勤率等に応じて支給する	勤続期間が3ヶ月の者には、平均支給月数の2分の1、2ヶ月の者には、平均支給月数の3分の1を支給。
② 一般社員とは別建ての支給率を適用	算定期間中の勤務日数に応じて、次の金額を支給。 勤務日数60日以下➡支給せず 勤務日数61～80日以下➡基本給×1.0 勤務日数81～100日以下➡基本給×1.25 勤務日数101日以上➡基本給×1.5
③ 定額を支給する	金一封として10万円を支給。

6 賞与の支給額

(1) 支給額の決定基準

① 算定期間における業績

賞与の支給額は、算定期間中の営業成績（売上、受注、粗利益、営業利益、純利益等）を勘案して決定するのが合理的です。

賞与は、会社の業績が良好であったときに、その成果配分として支給されるものです。労働の対価や勤務の報酬として支給されるものではありません。算定期間における業績を踏まえて支給額を決定するのは当然のことです。売上や利益が好調であったときは、支給額を増やして社員の努力に報います。業績が良くなかったときは、支給額を抑制します。

(様式1) 算定期間の業績

	賞与算定期間	前年同期	前年同期比
売上			
営業利益			

② 景気の動向と業績の見通し

会社の業績は、景気（一般経済の動き）によって大きく左右されます。景気の影響を受けることはないという会社は存在しないでしょう。

賞与の支給額の決定においては、
・今後の景気がどのようになるか
・景気の動向によって会社の業績がどのようになるか
についても、一定の配慮をすべきです。

(様式2）業績の見通し

	今期の見通し	前年同期の実績	前年同期比
売上			
営業利益			

③　労働組合の要求内容

　労働組合にとって、賞与の支給額は重要な関心事項です。このため、支給額について要求を出すのが一般的です。

　会社にとって、労使関係はきわめて重要です。労使関係が安定していないと、業務に影響が生じます。

　支給額の決定に当たっては、労働組合の要求内容に一定の配慮をすることが望ましいといえます。

④　前年の支給額

　社員は、前年の支給額を上回る額を期待しています。賞与の支給額はいくらでも構わないという社員はいないでしょう。支給額が前年を大きく下回ると、勤労意欲や勤務態度に影響が生じる可能性があります。

　賞与（ボーナス）の支給額の決定に当たっては、前年の支給額にも一定の配慮をすることが望ましいといえます。

⑤　同業他社の支給額

　賞与の支給額が同業他社のそれに比較して少ないと、社員の間において、会社の経営方針や人事・給与管理の在り方について、批判や疑問が生じる恐れがあります。

　支給額の決定に当たっては、同業他社の支給額に対しても、一定の配慮をすることが望ましいといえます。

図表1―7　賞与の支給総額の決定基準

①	算定期間における業績（売上、利益）
②	景気の動向と業績の見込み
③	前年の支給実績
④	労働組合・社員組合の要求
⑤	同業他社の賞与の支給動向
⑥	その他

(注) 賞与の支給総額については、業績と直接的に連動させて決定する仕組み（業績連動型の賞与制度）もあります。この業績連動型賞与制度については、第6章で詳しく解説しています。

(2) 支給総額の試算

　賞与の議論においては、とかく「社員一人平均の支給額」「一人平均の支給月数」が優先されます。それは、人事担当者はもちろんのこと、一般社員や役職者にとっても、分かりやすいからです。
　賞与をめぐる労使交渉においても、「組合員一人平均の支給額をいくらとするか」が話し合われます。
　確かに社員平均の支給額や支給月数も重要ですが、経営にとって最も重要であるのは賞与の支給総額です。会社の財務力や収支バランスに比較して賞与の支給総額が過大であると、財務基盤と収益力に影響が生じます。
　賞与の支給額の決定に当たっては、支給月数ごとに「支給総額がどれくらいになるか」の試算（支給総額シミュレーション）を行うことが重要です。

（様式3）賞与の支給総額シミュレーション

	支給対象者数	一人平均支給額	支給総額	支給総額の前年同期比
1.5ヶ月のとき				
2.0ヶ月のとき				
2.5ヶ月のとき				

（注）① 支給対象者数は、各ケースとも同一とする。
　　　② 支給総額＝一人平均支給額×支給対象者数

7　個人別支給額の算定方式

(1)　算定方式の合理性

　社員にとって、夏季と年末の賞与（ボーナス）の支給は大きな楽しみです。誰もが、賞与の支給日を心待ちにしています。

　社員は、当然のことではありますが、「自分の支給額がいくらになるか」に強い関心を持っています。支給額に関心のない社員は一人もいないでしょう。

　個人別の支給額は、一定の基準に従って公正に算定されることが必要です。算定基準が明確でないと、人事管理に対して不信感が生じます。また、算定方式が公正さを欠くと、勤労意欲を低下させます。

(2)　個人別の算定式

　賞与の個人別の支給額算定式には、主として、図表1－8に示すようなものが用いられています。

　いずれの算定式も、「基礎給（基本給または基準内給与）×支給月数」を標準支給額とし、それに人事考課分または定額を加算したり、

あるいは、人事考課係数または部門業績係数を掛けたりするなどしています。

周知のように、基本給は給与の中核を構成するものです。また、基準内給与は、基本給に諸手当（家族手当、住宅手当、営業手当、役付手当など）を加えたものをいいます。

基本給も基準内給与も、社員の
・会社内における地位、役割
・職務上の責任の重さ
・職務の内容（遂行の困難さ・重要性）
・職務遂行能力のレベル
・年齢、勤続年数

などを総合的に示す指標です。

一方、支給月数は、会社の業績の程度を示す指標です。一般的には、支給月数が多いことは、売上高や利益が多く、会社が成長していることを示します。賞与の支給月数の多いことを誇示する求人広告があることは周知のとおりです。

したがって、「基礎給（基本給または基準内給与）×支給月数」という算定式で標準支給額を算定するのは、合理的・現実的であると評価できます。

図表1-8　個人別支給額の算定式

	特徴
① 基礎給×平均支給月数×出勤率	人事考課は行わず、全社員に同一の支給月数を支給する。
② 基礎給×平均支給月数×出勤率＋人事考課分	勤務態度・勤務成績等について人事考課を行い、その結果に基づき、標準支給額に加算する。

③　基礎給×平均支給月数×出勤率＋定額（定率）加算	全社員に同一の支給月数を支給したうえで、職種別・資格等級等に応じて、定額または定率を加算する。
④　基礎給×平均支給月数×出勤率＋人事考課分＋定額（定率）加算	全社員に同一の支給月数を支給したうえで、人事考課分および定額（または定率）を加算する。
⑤　基礎給×平均支給月数×出勤率×人事考課係数	基礎給に標準支給月数を掛けて得られる金額に、評価別の人事考課係数を掛けて、支給額を決める。人事考課の結果次第で支給額に相当の格差が生じる。
⑥　基礎給×平均支給月数×出勤率×人事考課係数＋定額（定率）加算	基礎給、平均支給月数、出勤率および人事考課係数を掛けて得られる金額に、定額または定率を加算する。人事考課の結果次第で支給額に相当の格差が生じる。
⑦　基礎給×平均支給月数×部門業績係数×出勤率	複数の事業部門または事業所を持つ会社で採用される算定式。部門ごとの業績を支給額に反映させる。業績係数の設定次第で、部門ごとの支給額に相当の格差が生じる。
⑧　基礎給×平均支給月数×部門業績係数×出勤率＋人事考課分	部門ごとの業績を反映させて支給額を決めたうえで、各人の人事考課分を加算する。部門業績と個人別人事考課を使用するのが大きな特徴といえる。
⑨　基礎給×平均支給月数×部門業績係数×出勤率×人事考課係数	全社一律の支給月数に部門ごとの業績係数と各人の人事考課係数を掛けて支給額を算定する。

（注）基礎給とは、基本給または基準内給与をいう。

（注）個人別支給額の決め方については、第2章で詳しく解説しています。

8　制裁と賞与の減額処分

どの会社も、職場の秩序を維持するために、社員が守るべき服務規律を定めています。「会社の指示命令を守らなければならない」「勤務時間中は、職務に専念しなければならない」「会社の信用と名誉を傷つける行為をしてはならない」などは、代表的な服務規律です。

会社は、服務規律に違反した社員をその情状に応じて懲戒処分・制裁処分に付します。減給や出勤停止は、代表的な処分といえます。

減給処分について、労働基準法は「減給の総額は、給与の支払額の10分の1を超えてはならない」と定めています（第91条）。

制裁処分として、賞与の減額を行うことが考えられます。労働基準法においては、賞与も「賃金」です。したがって、第91条の制裁制限の規定が適用されます。賞与の減額処分を行う場合、その金額は賞与の支給総額の10分の1を超えることはできません（昭和63・3・14、基発150号）。

9　業績不振時の賞与の取り扱い

経営者にとっても、社員にとっても、会社の業績が常に良好であることが望ましく、売上高・受注額・契約高が右肩上がりで順調に伸び、それに伴って営業利益・経常利益も順調に増加していくことが理想です。

しかし、会社の意に反して業績が不振に陥ることがあります。経営環境が激変して売上が減少し、利益を確保できなくなることもあります。このような場合にこれまで通りに賞与を支給していると、採算はさらに悪くなるとともに、資金繰りが悪化します。その結果、経営は

高度の危機に追い込まれます。
　業績不振のときは、賞与についても危機対策を講じなければなりません。賞与の取扱いとしては、実務的に、
　　・支給月数・支給額を大幅に減らす（支給総額の大幅カット）
　　・賞与に代えて、「特別手当」、「生活支援金」、あるいは「越冬資金」などの名目で定額を支給する
　　・賞与の支給を見送る
などがあります。
　いずれの方策も、
　　・全社員一律に実施する
　　・役職の有無に区分して実施する
の2つがあります

図表1－9　業績不振時の賞与の取り扱い

賞与の取り扱い	例
支給月数の大幅カット	（例1） 全社員について、次の金額を支給する。 （支給月数）基本給×1ヶ月分 （例2） 部長・課長＝支給せず 主任・係長＝基本給の0.5ヶ月分を支給 社員＝基本給の1ヶ月分を支給
定額の支給	（例1） 次の金額を特別一時金という名目で支給する。 勤続3年未満＝20万円 勤続3年～6年未満＝25万円 勤続6年以上＝30万円 （例2） 資格等級の区分に応じて、次の金額を越冬資金として支給。

	越冬資金として支給。 社員１〜３級　　25万円 社員４〜６級　　30万円 社員７〜９級　　35万円 （例３） 家族構成に応じて、次の一時金を支給。 単身者＝15万円 配偶者のみ＝20万円 配偶者と子１人＝25万円 配偶者と子２人以上＝30万円
支給見送り	

10　賞与規程の作成

(1)　賞与規程作成の意義

　賞与は、給与（賃金）や勤務時間・休日・休暇などと並んで重要な労働条件です。社員は、誰もが賞与の支給に強い関心を持っています。したがって、その支給条件について一定のルールを定め、そのルールに従って公正・明朗に支給することが必要です。

　賞与の取り扱いについては、多くの会社が給与規程（賃金規程）の中の１つの条項で「年２回、夏季と年末に業績に応じて賞与を支給する」と簡単に定めるだけで、特に賞与規程は定めていません。

　労働基準法の上では、そのような取り扱いで問題はないのですが、賞与の平均支給月数が給与の３ヶ月分、４ヶ月分に及んでいることなどを考えると、独立した「賞与規程」を作成することが望ましいといえるでしょう。

図表1－10　賞与規程作成の必要性

①	毎年定期的に支給されていること
②	すべての社員に支給されていること
③	年間の支給額が相当の額に上ること
④	社員の多くが支給条件の取り扱いに関心を持っていること

(2) 賞与規程の内容

賞与規程には、次の項目を盛り込むのがよいでしょう。
・支給対象者
・支給時期
・算定期間
・支給額の決定基準
・欠勤、遅刻、早退の控除方法
・所得税、社会保険料の控除
・その他

また、次の事項を明確にしておきます。
① 業績が良好でないときは、支給しないことがあること
② 賞与の算定期間に勤務していても、支給日に在籍していない者には支給しないこと

> **参考**　賞与規程

(1) 標準的な規程

賞与規程

（総則）

第1条　この規程は、賞与の支給について定める。

（賞与の支給）

第2条　賞与は、年2回、夏季および年末に支給する。ただし、会社の業績が良好でないときは、支給しないことがある。

（支給対象者）

第3条　賞与は、支給日に在籍する者に支給する。ただし、賞与算定期間における出勤日数が所定出勤日数の3分の2に満たない者には支給しない（夏季賞与については1月20日以前、年末賞与については7月20日以前に採用され、支給日現在において勤続が6ヶ月に満たない者については、採用日以降の所定勤務日数を基準とする）。

2　前項の規定にかかわらず、会社が適当と認めた者については、特別に支給することがある。

（支給日）

第4条　賞与の支給日は、その都度定める。

（算定期間）

第5条　賞与の算定期間は、次の区分による。

　　　　夏季賞与　　前年11月21日〜当年5月20日
　　　　年末賞与　　当年5月21日〜11月20日

（支給額）

第6条　賞与の支給額は、計算期間における会社の業績に応じ、各人

の勤務成績（仕事の質、仕事の量）および勤務態度を評価して決定する。

（欠勤・遅刻・早退の控除）

第7条　算定期間中に欠勤があるときは、欠勤1日につき、所定勤務日数分の1を控除する。

2　遅刻、早退および私用外出は、合計3回をもって欠勤1日とみなす。

3　欠勤等を年次有給休暇に振り替えることはできないものとする。

（法定控除）

第8条　賞与の支給に当たり、次のものを控除する。

　(1)　所得税

　(2)　社会保険料

　(3)　社員代表と協定したもの

（支払方法）

第9条　賞与は、各人が届け出た銀行口座に振り込むことによって支払う。

（付則）

この規程は、○○年○○月○○日から施行する。

(2) 「基本給×平均支給月数×出勤率＋人事考課分」という算定式を明示した規程

賞与規程

（総則）
第1条　この規程は、賞与の支給について定める。
（賞与の支給）
第2条　賞与は、年2回、夏季および年末に支給する。ただし、会社の業績が良好でないときは、支給しないことがある。
（支給対象者）
第3条　賞与は、支給日に在籍する者に支給する。ただし、賞与算定期間における出勤日数が所定出勤日数の3分の2に満たない者には支給しない（夏季賞与については1月20日以前、年末賞与については7月20日以前に採用され、支給日現在において勤続が6ヶ月に満たない者については、採用日以降の所定勤務日数を基準とする）。
2　前項の規定にかかわらず、会社が適当と認めた者については、特別に支給することがある。
（支給日）
第4条　賞与の支給日は、その都度定める。
（算定期間）
第5条　賞与の算定期間は、次の区分による。
　　　　夏季賞与　　前年11月21日〜当年5月20日
　　　　年末賞与　　当年5月21日〜11月20日
（支給額の算定）
第6条　賞与の支給額は、次の算定式により算出する。
　　　　賞与＝基本給×平均支給月数×出勤率＋人事考課分
2　基本給は、4月1日現在の額とする。

3　平均支給月数は、算定期間における会社の業績に応じて決定する。
4　出勤率の算定は、次による。遅刻、早退および私用外出は、合わせて3回をもって欠勤1日とみなす。
　　　出勤率＝（所定勤務日数−欠勤日数）／所定勤務日数
5　人事考課分は、算定期間における各人の勤務成績（仕事の質、仕事の量）および勤務態度を評価して決定する。

（法定控除）
第7条　賞与の支給に当たり、次のものを控除する。
　(1)　所得税
　(2)　社会保険料
　(3)　社員代表と協定したもの

（支払方法）
第8条　賞与は、各人が届け出た銀行口座に振り込むことによって支払う。

（付則）
この規程は、〇〇年〇〇月〇〇日から施行する。

(3) 「基本給×平均支給月数×出勤率×人事考課係数」という算定式を明示した規程

賞与規程

（総則）
第1条　この規程は、賞与の支給について定める。
（賞与の支給）
第2条　賞与は、年2回、夏季および年末に支給する。ただし、会社の業績が良好でないときは、支給しないことがある。
（支給対象者）
第3条　賞与は、支給日に在籍する者に支給する。ただし、賞与算定期間における出勤日数が所定出勤日数の3分の2に満たない者には支給しない（夏季賞与については1月20日以前、年末賞与については7月20日以前に採用され、支給日現在において勤続が6ヶ月に満たない者については、採用日以降の所定勤務日数を基準とする）。
2　前項の規定にかかわらず、会社が適当と認めた者については、特別に支給することがある。
（支給日）
第4条　賞与の支給日は、その都度定める。
（算定期間）
第5条　賞与の算定期間は、次の区分による。
　　　　夏季賞与　　前年11月21日〜当年5月20日
　　　　年末賞与　　当年5月21日〜11月20日
（支給額の算定）
第6条　賞与の支給額は、次の算定式により算出する。
　　　　賞与＝基本給×平均支給月数×出勤率×人事考課係数
2　基本給は、4月1日現在の額とする。

3 平均支給月数は、算定期間における会社の業績に応じて決定する。
4 出勤率の算定は、次による。遅刻、早退および私用外出は、合わせて3回をもって欠勤1日とみなす。

　　出勤率＝（所定勤務日数－欠勤日数）／所定勤務日数

5 人事考課係数は、算定期間における各人の勤務成績（仕事の質、仕事の量）および勤務態度を評価し、別表のとおりとする。

（法定控除）
第7条　賞与の支給に当たり、次のものを控除する。
　(1)　所得税
　(2)　社会保険料
　(3)　社員代表と協定したもの

（支払方法）
第8条　賞与は、各人が届け出た銀行口座に振り込むことによって支払う。

（付則）
この規程は、〇〇年〇〇月〇〇日から施行する。

（別表）人事考課係数

評価区分	一般社員	役職者
S評価（最高）	1.2	1.3
A評価	1.1	1.15
B評価（標準）	1.0	1.0
C評価	0.9	0.85
D評価（最低）	0.8	0.7

11 賞与費の予算管理

(1) 賞与費予算の計上

① 経営計画と賞与費予算

　どの会社でも、賞与は人件費の中で相当大きなウエイト（比率）を占めます。このため、合理的・計画的に管理する必要があります。

　賞与の支給時期が到来したときに支給額を決め、資金繰りに奔走するという場当たり的な対応は大変危険です。賞与費の予算管理の必要性・重要性は、どれほど強調しても強調しすぎることはないでしょう。

　新しい営業年度がスタートする前に、その年度の売上・利益計画を立てます。売上・利益計画は、

・景気の動向
・会社の営業能力、競争力
・過去の実績
・同業他社の動向

などを総合的に勘案して決定します。

　そして、その業績計画を踏まえて、賞与の支給予定額を予算計上します。賞与の支給額は、業績とバランスの取れた金額とします。「業績（売上・利益）とのバランスが取れているか」「賞与の支給総額予算が過大、あるいは過小でないか」は、これまでの実績値から判断する以外に方法はありません。

　売上や利益の計画値は、会社としての「目標値」です。したがって、その達成に向けて、全社一丸となって取り組みます。

図表1-11 賞与費予算計上の必要性

①	賞与が毎年定期的に支給される人件費であるため
②	賞与の支給総額が大きいため
③	賞与の支給総額が安易に増加することを抑制するため
④	経営の健全性・安定性を確保するため

(様式3) 賞与支給額の計画

○○年度賞与支給計画

	支給対象者数	一人平均支給額	一人平均支給月数	支給総額	前年度支給総額	前年度比	備考
夏季賞与							
年末賞与							
計							

(注) 支給総額＝一人平均支給額×支給対象者数

② 賞与費予算計上の効果

　会社や経営者の立場からすると、賞与について、「社員の平均給与の何倍程度が適切か」「賞与の支給総額は売上額の何パーセント程度が適切か」という「適正値」があると大変便利です。

　しかし、賞与には、「適正値」というものが存在しません。また、当然のこととして、支給額が多ければ多いほど、社員から歓迎されます。そのような性格から、賞与の支給総額は、とかく安易に増加しがちです。支給総額の安易な増加は、経営にとって好ましいものではありません。

　賞与費予算の計上は、賞与の支給額が安易に増加するのを抑制するという効果が期待できます。

(2) 賞与費予算の修正

　経営環境は常に変化します。経営にとって都合の良い方向に変化することもあれば、悪い方向へ変化することもあります。

　会社は、経営環境の変化に敏感でなければなりません。経営環境が変化したときは、その変化の内容に応じて柔軟に対応することが必要です。対応のタイミングとその方法が適切でないと、業績に影響します。

　経営環境が大きく変化したときは、売上や利益等の計画値を修正します。

　業績の計画値を修正したときは、賞与の計画値も修正します。

(様式4) 賞与費予算の修正

○○年度賞与費予算修正表

	修正予算	当初予算	当初予算比	備考
夏季賞与				
年末賞与				
計				

(3) 賞与費予算の決算

　営業年度が経過したときは、賞与費予算の決算を行います。そして、夏季賞与および年末賞与について、支給額がどうであったかを最終確認します。

　実績と予算との間に差異があったときは、その差異がどのような問題のために生じたかをできる限り客観的に検証します。そして、その検証によって得られた結論を次年度以降の予算管理に活用していきます。

(様式5）賞与費予算の決算

○○年度賞与費予算決算表

	実績	予算	予算比	備考
夏季賞与				
年末賞与				
計				

12 賞与費予算制度の実施要領

　賞与の支給総額は、相当の金額に上ります。経営を合理的・計画的に行っていくうえで、賞与費を適切に管理することはきわめて重要なことです。

　賞与費の予算制度を実施するときは、その実施要領を取りまとめることが望ましいといえます。実施要領のモデルを示すと、次のとおりです。

賞与費予算制度実施要領

1　制度の目的
　賞与費の適切な管理により、経営の合理化を図ること
2　賞与費予算の作成
⑴　賞与予算の作成
　人事部長は、毎年度、売上高および利益額の計画を踏まえて、賞与費予算を作成する。予算は、夏季賞与および年末賞与について、次の項目ごとに計画を計上する。
　①　支給対象者数
　②　社員一人平均支給額

③　社員一人平均支給月数
④　支給総額
(2)　社長の承認
　予算を作成したときは、これを社長に提出し、承認を得るものとする。
3　賞与費予算の修正
　人事部長は、年度の途中において経営環境の変化に伴って売上高および利益額が変更になったときは、必要に応じて賞与費予算を修正する。
　人事部長は、賞与費予算を修正したときは、これを社長に提出し、その承認を得るものとする。
4　賞与費予算の決算
　人事部長は、年度が終了したときは、賞与費予算の決算を行い、社長に報告しなければならない。
　決算と予算の間に差異が生じたときは、その要因を解明し、社長に報告しなければならない。

以上

第2章

個人別支給額の決め方

1 個人別支給額の決め方

(1) 主な賞与算定式

賞与については、
① 毎年、夏季と年末の2回、定期的に支給される
② 社員一人当たりの支給額が給与の数ヶ月分に及び、重要な労働条件となっている
③ 支給総額が相当の額に達する
④ 支給原資が制限されている

などの性格があります。このため、一定の合理的な算定基準（算定式）を定め、その基準に基づいて算定することが望ましいといえます。

合理的で統一した支給基準が定められていないと、支給額が経営者の個人的な思惑や好き嫌いや、あるいはそのときの感情で恣意的に決められることになり、社員に不信感を与えます。

現在、各社で採用されている主な算定式を示すと、図表2-1のとおりです。

図表2－1　個人別支給額の算定式

①	基礎給×平均支給月数×出勤率
②	基礎給×平均支給月数×出勤率＋人事考課分
③	基礎給×平均支給月数×出勤率＋定額（定率）加算
④	基礎給×平均支給月数×出勤率＋人事考課分＋定額・定率加算
⑤	基礎給×平均支給月数×出勤率×人事考課係数
⑥	基礎給×平均支給月数×出勤率×人事考課係数＋定額・定率加算
⑦	基礎給×平均支給月数×部門業績係数×出勤率
⑧	基礎給×平均支給月数×部門業績係数×出勤率＋人事考課分
⑨	基礎給×平均支給月数×部門業績係数×出勤率×人事考課係数

(注)　1　基礎給とは、基本給の全部または一定割合、あるいは基準内給与（基本給＋諸手当）の全部または一定割合をいう。
　　　2　平均支給月数＝賞与支給総額／支給対象者の基礎給の総和

(2) 算定式決定のポイント

　賞与の算定式の決定については、いくつかのポイントがあります。
　第一のポイントは、基本給と基準内給与（基本給＋諸手当）のいずれを算定の基礎とするか、です。
　第二のポイントは、人事考課を行うかどうかです。
　業績還元という賞与制度の趣旨からいえば、支給対象者一人ひとりについて、

・仕事に積極的・意欲的に取り組んだか
・勤続年数、年齢、能力にふさわしい量の仕事をしたか
・会社の期待に応えるだけの仕事をしたか
・仕事は正確であったか

など、勤務態度や勤務成績について人事考課を行い、その結果を支給額に反映させることが望ましいといえます。
　しかし、人事考課については、
・実施に相当の手間がかかる

・人事考課に当たる役職者に相当の考課能力が求められる
・考課の結果による支給額の格差をどの程度にするかの決定が容易ではない

などの事情があります。

人事考課の結果を支給額に反映させる方法としては、

・標準支給額（「基礎給×平均支給月数」という算式で算定される額）に人事考課分を加算する
・標準支給額に人事考課係数を掛ける

という2つがあります。

第三のポイントは、事業部門（店舗、営業所、支店、事業部等）の業績を支給額に反映させるかどうかです。

部門の独立採算主義を徹底するという観点からすると、部門の業績を反映させることが望ましいが、部門業績の評価が適切でないと、部門勤務の社員・役職者の理解を得ることができません。

2 基礎給×平均支給月数×出勤率

(1) 算定の方法

これは、「基礎給」（基本給の全部または一定割合、あるいは基準内給与（基本給＋諸手当）の全部または一定割合）に、「平均支給月数」と「出勤率」とを掛けることによって、各人の支給額を算定するというものです。人事考課は、行いません。

出勤率は、算定期間中の出勤日数を基に、次の算式で算定します。

出勤率＝（所定勤務日数－欠勤日数）／所定勤務日数

(2) 算定例

例えば、基礎給として基本給を使用し、平均支給月数を2ヶ月とします。この場合、基本給30万円、出勤率98％の社員の支給額は、次のように算定されます。

（賞与支給額）　30万円×2.0×0.98＝588,000円

また、基礎給として「基本給＋役付手当＋営業手当」を使用し、平均支給月数を2.5ヶ月とします。この場合、基本給＋役付手当＋営業手当が35万円、出勤率95％の社員の支給額は、次のように算定されます。

（賞与支給額）　35万円×2.5×0.95＝831,250円

3 基礎給×平均支給月数×出勤率＋人事考課分

(1) 算定の方法

これは、「基礎給」（基本給の全部または一定割合、あるいは基準内給与（基本給＋諸手当）の全部または一定割合）と「平均支給月数」と「出勤率」とを掛けて得られる金額に、人事考課分を上積みすることによって、各人の支給額を算定するというものです。人事考課を支給額に反映させるところに、この算定方式の大きな特徴があります。

(2) 人事考課分の決め方

人事考課分は、人事考課の結果に基づいて決めます。決め方には、
① 一定の幅（加算の上限、減額の上限）を設ける
② 役職の有無別に一定の幅を設ける
③ 資格等級別に一定の幅を設ける
④ 人事考課の区分ごとに決める

⑤　役職の有無別、かつ、人事考課の区分ごとに決める
⑥　資格等級別、かつ、人事考課の区分ごとに決める

などがあります（図表2－2）。

図表2－2　人事考課分の決め方

決め方	例
①　一定の幅を設ける	（例1） 人事考課の結果により、70万円を上限に加算し、20万円を下限に減額する （例2） 人事考課の結果により、基本給の2ヶ月分を上限に加算し、1ヶ月分を下限に減額する
②　役職の有無別に一定の幅を設ける	（例1） 人事考課の結果により、一般社員については、50万円を上限に加算し、10万円を下限に減額する。 役職者については、80万円を上限に加算し、20万円を下限に減額する。 （例2） 人事考課の結果により、一般社員については、基本給の1ヶ月分を上限に加算し、0.5ヶ月分を下限に減額する。 役職者については、2ヶ月分を上限に加算し、1ヶ月分を下限に減額する。
③　資格等級別に一定の幅を設ける	（例1） 人事考課の結果により、加算または減額する。ただし、加算の上限は、次のとおり。 資格等級1～3級　　30万円 資格等級4～6級　　50万円 資格等級7～9級　　80万円 減額の下限は、次のとおり。 資格等級1～3級　　20万円 資格等級4～6級　　30万円

第2章　個人別支給額の決め方

	資格等級7～9級　　50万円 （例2） 人事考課の結果により、加算または減額する。ただし、加算の上限は、次のとおり。 資格等級1～3級　　基本給の1ヶ月分 資格等級4～6級　　基本給の1.5ヶ月分 資格等級7～9級　　基本給の2ヶ月分 減額の下限は、次のとおり。 資格等級1～3級　　基本給の0.5ヶ月分 資格等級4～6級　　基本給の0.7ヶ月分 資格等級7～9級　　基本給の1ヶ月分	
④　人事考課の区分ごとに加算額を決める	S評価（最高） A評価 B評価（標準） C評価 D評価（最低）	0.7ヶ月分 0.5ヶ月分 0.3ヶ月分 ゼロ 0.5ヶ月分減額
④'　人事考課の点数の区分ごとに加算額を決める（100点満点で人事考課を行う場合）	100～90点 89～70点 69～50点 49～30点 29点以下	0.7ヶ月分加算 0.5ヶ月分加算 0.3ヶ月分加算 ゼロ 0.5ヶ月分減額
⑤　役職の有無別、かつ、人事考課の区分ごとに決める	（一般社員） S評価（最高） A評価 B評価（標準） C評価 D評価（最低） （役職者） S評価（最高） A評価 B評価（標準） C評価 D評価（最低）	 0.7ヶ月分加算 0.5ヶ月分加算 0.3ヶ月分加算 0.1ヶ月分加算 ゼロ 1ヶ月分加算 0.5ヶ月分加算 0.3ヶ月分加算 0.2ヶ月分減額 0.5ヶ月分減額

⑥ 資格等級別、かつ、人事考課の区分ごとに加算額を決める	(社員1～3級)	
	S評価（最高）	0.7ヶ月分加算
	A評価	0.5ヶ月分加算
	B評価（標準）	0.3ヶ月分加算
	C評価	0.1ヶ月分加算
	D評価（最低）	ゼロ
	(社員4～6級)	
	S評価（最高）	1ヶ月分加算
	A評価	0.5ヶ月分加算
	B評価（標準）	0.3ヶ月分加算
	C評価	ゼロ
	D評価（最低）	0.3ヶ月分減額
	(社員7～9級)	
	S評価（最高）	1.5ヶ月分加算
	A評価	0.8ヶ月分加算
	B評価（標準）	0.3ヶ月分加算
	C評価	0.3ヶ月分減額
	D評価（最低）	1ヶ月分減額

(3) 算定例

例えば、人事考課分が次のように決められているとします。

S評価（最高）　　0.7ヶ月分
A評価　　　　　　0.5ヶ月分
B評価（標準）　　0.3ヶ月分
C評価　　　　　　0.1ヶ月分
D評価（最低）　　ゼロ

また、基礎給として基本給を使用し、標準支給月数を2ヶ月とします。この場合、基本給30万円、出勤率98％で、人事考課がB評価の社員の支給額は、次のように算定されます。

（賞与支給額）30万円×2.0×0.98＋30万円×0.3＝678,000円

ある調査によると、この算定方式を採用している会社が最も多くなっています。

(4) 人事考課分の割合

この算定式を使用する場合、「一律支給分（基礎給×標準支給月数×出勤率で算定される額）と人事考課分との割合をどのようにするか」が実務上の大きなポイントとなります。

この点について、「人事考課分の割合を大きくして、業績への貢献度のメリハリを付けるのがよい」という意見があります。たしかに、そのような意見にも、一理はあります。しかし、人事考課分の割合を大きくすると、社員は、「自分の考課分は少ない」という不安をもちます。「自分の人事考課分は多い」と楽観的に考える社員もいるでしょうが、一般的にそのような楽観社員は少ないでしょう。

社員に不安を与えるのは、良くないことです。また、人事考課分の割合を多くすると、職場の一体感・連帯意識が失われる可能性があります。

一般的にいえば、賞与支給分に占める人事考課分の割合は、一般社員の場合は20〜30％程度、役職者の場合は30〜40％程度とするのが適切でしょう（図表2-3）。

図表2-3　一律支給分と人事考課分との割合

	一律支給分	人事考課分	合計
一般社員	70〜80％程度	20〜30％程度	100％
役職者	60〜70％程度	30〜40％程度	100％

（注）人事考課の方法については、第3章で詳しく解説しています。

4 基礎給×平均支給月数×出勤率 ＋定額（定率）加算

(1) 算定の方法

　これは、「基礎給」（基本給の全部または一定割合、あるいは基準内給与（基本給＋諸手当）の全部または一定割合）と「平均支給月数」と「出勤率」とを掛けて得られる金額に、「定額または定率分」を加算することによって、各人の支給額を算定するというものです。人事考課は、行いません。

　定額または定率分の決め方には、

・部門の業績を基準として決める

・個人の業績を基準として決める

・職種別に決める

などがあります（図表２－４）。

図表２－４　定額・定率の決め方

| 部門の業績を基準にして決める | （例１）
算定期間における部門１人当たり売上高の区分に応じて、次の金額を加算する。
売上高○○万円～　　　20万円
○○～○○万円　　　10万円
○○万円以下　　　　加算なし
（例２）
算定期間における店舗の粗利益目標達成率に応じて、次の金額を加算する。
達成率120％～　　　基本給の１ヶ月分
達成率100～119％　　基本給の0.5ヶ月分
達成率99％以下　　　加算なし |

個人の業績を基準にして決める	（例1） 算定期間における売上高の区分に応じて、次の金額を加算する。 売上高○○万円～　　　　　20万円加算 売上高○○～○○万円　　　15万円加算 売上高○○～○○万円　　　10万円加算 売上高○○～○○万円　　　5万円加算 売上高○○万円以下　　　　加算なし （例2） 算定期間における受注件数の区分に応じて、次の金額を加算する。 10件以上～　　20万円 5～9件　　　10万円 4件以下　　　加算なし （例3） 算定期間中に次のいずれかの成績を達成した者に特別加算する。 ①売上高○○万円以上 ②売上台数○○台以上 ③新規取引先開拓件数○件以上 ④売上高○○万円以上、かつ、現金・小切手による回収率○○％以上 （加算額）本人の基本給相当額
職種ごとに決める	営業職　　○万円加算 事務職　　○万円加算 技能職　　○万円加算 その他　　○万円加算
その他	（例1） 算定期間中に次のいずれかに該当する者に支給額を加算する。 ①欠勤ゼロ、または遅刻・早退が合計6回以下 ②交通違反・交通事故ゼロ（自動車運転職） ③災害を未然に防止したこと ④社内提案制度での表彰

	⑤業務に必要な公的資格の取得 (加算額)○万円 (例２) 次の特殊作業に月平均10日以上従事し、かつ、無事故であった者に特別加算。 ・高熱作業 ・高温・高湿作業 ・危険物取扱作業 ・その他会社が特殊作業と認定したもの (加算額)○万円

(2) 算定例

例えば、基礎給として基本給を使用し、平均支給月数を２ヶ月とします。この場合、基本給30万円、出勤率98％で、職種加算が９万円の社員の支給額は、次のように算定されます。

(賞与支給額)　30万円×2.0×0.98＋９万円＝678,000円

5 基礎給×平均支給月数×出勤率＋人事考課分＋定額・定率加算

(1) 算定の方法

これは、「基礎給」(基本給の全部または一定割合、あるいは基準内給与(基本給＋諸手当)の全部または一定割合)と「平均支給月数」と「出勤率」とを掛けて得られる金額に、人事考課分と定額(定率)分とを上積みすることによって、各人の支給額を算定するというものです。

「基礎給×平均支給月数」という式で標準支給額を算定したうえで、人事考課分と定額または定率分を加算するところに、この算定式の特

徴があります。

　人事考課分は、社員一人ひとりについて、算定期間中の勤務態度および勤務成績（仕事の量、仕事の質）を評価して決めます。

　定額・定率分の決め方には、
　・部門の業績を基準として決める
　・個人の業績を基準として決める
　・職種ごとに決める
などがあります。

(2) 算定例

　例えば、基礎給として基本給を使用し、平均支給月数を2ヶ月とします。この場合、基本給30万円、出勤率98％で、かつ、人事考課分10万円、定額加算5万円の社員の支給額は、次のように算定されます。

　（賞与支給額）30万円×2.0×0.98＋10万円（人事考課分）＋5万円（定額加算）＝738,000円

　この方式には、
① 人事考課分を加算することにより、勤務態度や勤務成績（仕事の量、仕事の質）が良好であった社員に報いることができる
② 部門または個人の業績や職務内容などに配慮をすることができる

などのメリットがあります。

　このため、この算定方式を採用している会社もかなり多くあります。

6 基礎給×平均支給月数×出勤率×人事考課係数

(1) 算定の方法

　これは、「基礎給」(基本給の全部または一定割合、あるいは基準内給与(基本給＋諸手当)の全部または一定割合)、「平均支給月数」、「出勤率」および「人事考課係数」を掛けて得られる金額を、各人の支給額とするというものです。

　この算定式は、人事考課の結果を一定の数値(人事考課係数)に転換し、「基礎給×平均支給月数」で算定される標準支給額にその係数を掛けるところに大きな特徴があります。

　人事考課係数の決め方には、

・全社員一律に決める

・一般社員と役職者とに区分して決める

・資格等級別に決める

などがあります(図表2-5)。

図表2-5　人事考課係数の決め方

	例	
全社員一律方式	S評価(最高) A評価 B評価(標準) C評価 D評価(最低)	1.2 1.1 1.0 0.9 0.8
全社員一律方式(人事考課を100点満点で行う場合)	100〜90点 89〜70点 69〜50点 49〜30点	1.2 1.1 1.0 0.9

	29点以下	0.8
役職の有無別方式	（一般社員）	
	S評価（最高）	1.2
	A評価	1.1
	B評価（標準）	1.0
	C評価	0.95
	D評価（最低）	0.9
	（役職者）	
	S評価（最高）	1.3
	A評価	1.15
	B評価（標準）	1.0
	C評価	0.8
	D評価（最低）	0.7
役職の有無別方式（人事考課を100点満点で行う場合）	（一般社員）	
	100～90点	1.2
	89～70点	1.1
	69～50点	1.0
	49～30点	0.95
	29点以下	0.9
	（役職者）	
	100～90点	1.3
	89～70点	1.15
	69～50点	1.0
	49～30点	0.85
	29点以下	0.8
資格等級別方式	（社員1～3級）（初級職）	
	S評価（最高）	1.2
	A評価	1.1
	B評価（標準）	1.0
	C評価	0.95
	D評価（最低）	0.9
	（社員4～6級）（中級職）	
	S評価（最高）	1.3
	A評価	1.15

	B評価（標準）	1.0
	C評価	0.9
	D評価（最低）	0.8
	（社員7～9級）（上級職）	
	S評価（最高）	1.5
	A評価	1.2
	B評価（標準）	1.0
	C評価	0.85
	D評価（最低）	0.7

(2) 算定例

例えば、人事考課係数が次のように決められているとします。

S評価（最高）　　1.2
A評価　　　　　　1.1
B評価（標準）　　1.0
C評価　　　　　　0.9
D評価（最低）　　0.8

また、基礎給として基本給を使用し、平均支給月数を2ヶ月とします。この場合、基本給30万円、出勤率98％で、人事考課がA評価の社員の支給額は、次のように算定されます。

（賞与支給額）30万円×2.0×0.98×1.1＝646,800円

この方式には、「人事考課係数を使用することにより、支給額にメリハリを付けることができる」というメリットがあります。このため、この算定方式を採用している会社もかなり多くあります。

(3) 人事考課係数の適正値

この算定方式においては、「人事考課係数を具体的にどのように決めるか」が最大のポイントとなります。係数の決め方によっては、社員の支給額に大きな格差が生じます。

考課係数をどのように設定するかは、もとより各社の自由であるが、次の事項を十分に踏まえて決めることが望ましいといえます。
　・会社の業務の内容
　・社員の職務の内容
　・経営方針
　・個人業績の把握の難しさ・やさしさ
　・支給総額の大きさ、平均支給額
　・役職者の人事考課能力

「各社員の業績貢献度を支給額に明確に反映させるためには、考課区分ごとの係数の格差を大きくすべきである」という意見があります。確かに、それも１つの見解でしょう。

　どの職場においても、その職場の仕事を円滑に進めていくためには、職場の一体感と連帯意識を維持することが必要です。職場の一体感と連帯意識の重要性は、いくら強調しても強調しすぎることはないでしょう。

　考課区分ごとの係数の格差を大きくすると、当然のことながら、考課結果によって支給額に大きな格差が生じることになります。月例給与の４ヶ月分、５ヶ月分の支給を受ける者がいる一方で、１ヶ月分、２ヶ月分にとどまる者が出ます。低い評価を受け、支給額が少なかった者は、上司の査定と会社の人事管理に不平・不満と不信感を募らせるでしょう。

　逆に、考課ごとの格差が小さいと、成績の良かった者は、「これほど頑張ったにも関わらず、支給額が少ない」という不満を抱くでしょう。

　人事考課係数は、一般的に、図表２－６に示す程度に設定するのが適切でしょう。

図表2-6　人事考課係数の適正値

	一般社員	役職者
S評価（最高）	1.2～1.3程度	1.3～1.4程度
A評価	1.1～1.2程度	1.2～1.3程度
B評価（標準）	1.0	1.0
C評価	0.85～0.9程度	0.8～0.85程度
D評価（最低）	0.8～0.85程度	0.7～0.8程度

7　基礎給×平均支給月数×出勤率×人事考課係数＋定額・定率加算

(1)　算定の方法

　これは、「基礎給」（基本給の全部または一定割合、あるいは基準内給与（基本給＋諸手当）の全部または一定割合）、「平均支給月数」、「出勤率」および「人事考課係数」を掛けて得られる金額に、「定額または定率」を加算したものを、各人の支給額とするというものです。

　人事考課係数の決め方には、
　・全社員一律に決める
　・一般社員と役職者とに区分して決める
　・資格等級別に決める
などがあります。

　また、定額・定率の決め方には、
　・部門の業績を基準として決める
　・個人の業績を基準として決める
　・職種ごとに決める
などがあります。

(2) 算定例

例えば、人事考課係数が次のように決められているとします。

S評価（最高）　　1.2
A評価　　　　　　1.1
B評価（標準）　　1.0
C評価　　　　　　0.9
D評価（最低）　　0.8

また、定額加算の金額が、算定期間における受注件数の区分に応じて、次のように決められているとします。

受注15件以上　　　20万円
受注10〜14件　　　15万円
受注5〜9件　　　　10万円
受注4件以下　　　加算なし

一方、基礎給として「基本給＋営業手当＋役付手当」を使用し、平均支給月数を2ヶ月とします。

この場合、基本給30万円、営業手当3万円、出勤率98％で、人事考課がB評価、受注件数定6件の営業社員の支給額は、次のように算定されます。

（賞与支給額）

（30万円＋3万円）×2.0×0.98×1.0＋10万円＝746,800円

8　基礎給×平均支給月数×部門業績係数×出勤率

(1) 算定の方法

これは、「基礎給」（基本給の全部または一定割合、あるいは基準内

給与（基本給＋諸手当）の全部または一定割合）に、「平均支給月数」「部門業績係数」および「出勤率」を掛けることによって、各人の支給額を算定するというものです。各人の人事考課は、行いません。

部門業績係数は、店舗、営業所、支店、事業部などの部門ごとに、賞与算定期間中のその部門の業績（売上高、粗利益、社員1人当たり売上高、社員1人当たり粗利益等）をもとに、例えば、次のように決めます。

＜所属社員1人当たりの売上高に応じて、次の係数＞
○○万円～　　　　　業績係数1.1
○○～○○万円　　　業績係数1.0
○○～○○万円　　　業績係数0.9

各事業部門の業績の結果を賞与の支給額に反映させるところに、この算定方式の大きな特徴があります。

(注) 部門業績係数の決め方については、第5章で詳しく解説しています。

(2) 算定例

算定方式を例示すると、次のとおりです。

部門業績係数が店舗所属社員1人当たりの売上高に応じて、次のように決められているとします。

3千万円超　　　　　業績係数1.1
3千万～2千万円　　業績係数1.0
2千万円未満　　　　業績係数0.9

基本給40万円の社員の場合、平均支給月数が2ヶ月、部門業績係数が1.1、出勤率が100％であるとします。

この社員の賞与支給額は、次のように計算されます。

（賞与支給額）40万円×2ヶ月×1.1×100％＝88万円

9 基礎給×平均支給月数×部門業績係数 ×出勤率＋人事考課分

(1) 算定の方法

これは、
- 基本給または基準内給与
- 会社全体の業績で決められる平均支給月数
- 所属部門の業績で決められる部門業績係数
- 出勤率

をもとに支給額を決めたうえで、人事考課分を加算するというものです。

この算定式は、
- 会社全体の業績
- 所属部門の業績
- 一人ひとりの人事考課の結果

を勘案して賞与の支給額を決定するという特徴があります。

(2) 算定例

例えば、部門業績係数が、算定期間における店舗の粗利益目標達成率に応じて、次のように決められているとします。

目標達成率120％〜　　　　業績係数1.1
目標達成率100〜119％　　業績係数1.0
目標達成率99％以下　　　　業績係数0.9

いま、基本給が40万円の社員がいて、
- 会社全体の業績で決められる平均支給月数が「2ヶ月」
- 所属部門の業績で決められる部門業績係数が「1.0」
- 出勤率が「100％」

・勤務態度と勤務成績の人事考課による加算分が「10万円」であるとします。

この社員の賞与支給額は、次のように計算されます。

（賞与支給額）40万円×2ヶ月×1.0×100％+10万円＝90万円

10 基礎給×平均支給月数×部門業績係数×出勤率×人事考課係数

(1) 算定の方法

これは、
- 基本給または基準内給与
- 会社全体の業績で決められる平均支給月数
- 所属部門の業績で決められる部門業績係数
- 出勤率
- 各人の人事考課によって決められる人事考課係数

をもとに支給額を決めるというものです。

この算定式も、
- 会社全体の業績
- 所属部門の業績
- 一人ひとりの人事考課の結果

を勘案して賞与の支給額を決定するという特徴があります。

(2) 算定例

部門業績係数が、算定期間における店舗の売上目標達成率に応じて、次のように決められているとします。

目標達成率140％以上　　　業績係数1.2
目標達成率120～139％　　業績係数1.1

目標達成率100～119％　　　業績係数1.0
目標達成率99％以下　　　　業績係数0.9

いま、基本給が40万円の社員がいて、
・会社全体の業績で決められる平均支給月数が「2ヶ月」
・所属店舗の業績で決められる部門業績係数が「1.0」
・出勤率が「100％」
・勤務態度と勤務成績の人事考課による人事考課係数が「1.1」
であるとします。

この社員の賞与支給額は、次のように計算されます。

（賞与支給額）40万円×2ヶ月×1.0×100％×1.1＝88万円

11　基礎給の取扱い

(1)　基本給と基準内給与

賞与の個人別支給額の算定においては、
・基本給を基準とするか
・それとも、基準内給与（所定内給与）を基準とするか
がポイントとなります。

周知のように、基本給は、月例給与の基本的部分を形成するもので、一般的には、年齢、勤続年数、職務遂行能力、職務内容などを総合的に評価して決められますが、会社の中には、職務遂行能力を重視して基本給を決めているところもあります（職能給）。

また、職能給、職務給、年齢給などを組み合わせて、基本給を構成している会社も存在します。

これに対して、基本給に各種の手当（家族手当、住宅手当、役付手当、営業手当その他）をプラスしたものを「基準内給与」（所定内給

与）といいます。

　　基準内給与＝基本給＋諸手当

(2) 基本給を算定基準とする

　賞与は、基本的に「業績の還元」「成果の配分」ととらえるべきものです。一定の時間、あるいは一定の日数働いたことの対価として支給されるものではありません。このため、賞与の支給額の決定に当たっては、「どれだけ会社の業績に貢献したか」「どれだけ会社の成果に寄与したか」を重視すべきです。

　業績・成果に関係があるのは、本人の職務内容および職務遂行能力です。

　　・扶養家族を有しているか

　　・扶養家族は何人か

　　・住宅の形態はどうか。持家か、借家か

などといったことは、会社の業績への貢献とは関係ありません。

　職務内容や職務遂行能力に関係するのは、基本給です。このため、基本給を基礎として各人の賞与の支給額を算定するのが合理的です（図表２－７）。

図表２－７　基礎給決定のポイント

① 賞与は「業績の還元」「成果の配分」であるから、算定基礎としては基本給を使用するのが望ましい。
② 基準内給与を使用するときは、家族手当、住宅手当などの業務に関係のない手当を除外するのが合理的である。

　基準内給与を賞与の算定基礎とするときは、家族手当、住宅手当、地域手当、別居手当（単身赴任手当）などの、職務に関係のない手当は除外すべきです（図表２－８）。

図表2−8　基準内給与に含めるべき手当と除外すべき手当

含めるべき手当	除外すべき手当
営業手当、裁量労働手当、特殊作業手当、屋外作業手当、自動車運転手当、役付手当、繁忙手当、交替勤務手当、出向手当、その他職務と関係のあるもの	家族手当（扶養手当）、子ども手当、住宅手当、地域手当（都市手当）、寒冷地手当、別居手当（単身赴任手当）、食事手当、通勤手当、携帯電話手当、その他職務と関係のないもの

12 欠勤・遅刻・早退控除（出勤率の算定）

(1) 欠勤控除

① 会社の業務と社員の欠勤

　会社としては、すべての社員が、賞与の算定期間中、欠勤しないことが望ましいといえます。欠勤者が出ると、業務の遂行、業務計画の達成に支障が生じます。

　しかし、現実には、欠勤者が出ます。

　この場合、欠勤者に対しても通常通りの賞与を支給すると、真面目に勤務した者の勤労意欲に好ましくない影響を与えます。職場の一体感、信頼感が損なわれます。また、欠勤者が「欠勤しても、通常どおり賞与を受け取れる」と考えて、欠勤を繰り返す可能性もあります。

　人事管理は、公正・厳正に行われることが必要です。このような観点からすると、欠勤者については、賞与の支給額を控除するのがよいでしょう。

② 欠勤控除の方法

　欠勤控除については、実務的に、主として

① 日割相当分を控除する
② 一定の欠勤日数以降、日割相当分を控除する
③ 日割相当分を下回る額を控除する
④ 一定の欠勤日数ごとに、控除率を定める

などの方法があります（図表2−9）。

図表2−9　欠勤控除の方法

方法	例
① 日割相当分を控除する	欠勤日数に応じて、本人の支給額から日割相当分を控除する。
② 一定の欠勤日数以降、日割相当分を控除する	欠勤日数3日までは控除せず、4日以降について、欠勤日数に応じて、本人の支給額から日割相当分を控除する。
③ 日割相当分を下回る額を控除する	欠勤日数に応じて、本人の支給額から日割相当分の半額に相当する額を控除する。
④ 一定の欠勤日数ごとに、控除率を定める	（例1） 欠勤日数に応じて、次の金額を控除する。 ・欠勤1日　　　　控除せず ・欠勤2〜4日　　　3％控除 ・欠勤5〜7日　　　5％控除 ・欠勤8〜10日　　　7％控除 ・欠勤11日〜　　　9％控除 （例2） 欠勤日数に応じて、次の金額を控除する。 ・欠勤1〜2日　　　1％控除 ・欠勤3〜4日　　　2％控除 ・欠勤5〜6日　　　3％控除 ・欠勤7〜8日　　　4％控除

	・欠勤 9 ～10日　　　5 ％控除 ・欠勤11～12日　　　6 ％控除 ・欠勤13日～　　　　7 ％控除

　「日割相当分」は、文字どおり、賞与支給額の 1 日分をいいます。
　例えば、賞与の算定期間中の所定勤務日数が120日であれば、「本人の支給額の120分の 1 」に相当する額が、日割り相当分になる。賞与の支給額が60万円の社員の場合は、「60万円×1/120＝5,000円」が日割相当分となります。
　これらの控除方式のうち、「日割相当分を控除する」という方式を採用している会社が多くあります。ある調査によれば、約半数の会社がこの方式を採用しています。
　日割相当分を控除するときは、出勤率の算定式は、次のようになります。

> 出勤率＝（算定期間中の所定勤務日数－算定期間中の欠勤日数）／算定期間中の所定勤務日数

③　年休の欠勤扱い

　会社の中には、賞与の支給額の算定に当たって、年休（年次有給休暇）を欠勤扱いとしているところがあります。
　例えば、算定期間中に10日の年休を取得した社員に対しては、「欠勤10日」とし、支給額から10日分を差し引きます。また、年休で 5 日休んだ者については、 5 日分を差し引いて支給します。
　このように年休を欠勤扱いとすることは、労働基準法違反です。労働基準法は、「使用者は、年次有給休暇を取得した労働者に対して、賃金の減額その他不利益な取扱いをしないようにしなければならない」旨、規定しています（第136条）。

年休は、6ヶ月以上継続して勤務した者に与えられる有給の休暇です。年休を取得することは、社員の権利です。もしも賃金の減額という不利益な取扱いをすると、社員は年休の取得を思いとどまることになります。そのような事態を避けるため、このような規定が定められているのです。
　賞与において年休を欠勤扱いとすることは、不利益取扱いに該当するのです。

(参考) 厚生労働省の通達（昭和63・1・1、基発1号）

> 　精皆勤手当及び賞与の額の算定等に際して、年次有給休暇を取得した日を欠勤として、又は欠勤に準じて取り扱うことその他労働基準法上労働者の権利として認められている年次有給休暇の取得を抑制するすべての不利益な取扱いはしないようにしなければならないものであること。

(2) 遅刻・早退の控除

① 会社の業務と社員の遅刻・早退

　遅刻・早退も、欠勤と同じように、職場の規律を乱し、業務の遂行、業務計画の達成に支障を与える行為です。
　会社は、就業規則において始業・終業時刻を定めています。社員は、始業時刻から仕事を開始し、終業時刻まで仕事をする義務を負っています。遅刻も、早退も、就業規則違反であり、本来的に許されないことです。
　しかし、現実には、個人的な事情で遅刻したり、早退したりする者が出ます。
　この場合、遅刻または早退者に対しても通常通りの賞与を支給すると、真面目に勤務した者の勤労意欲に好ましくない影響を与えます。

職場の一体感、信頼感が損なわれます。また、遅刻・早退の常習者が「遅刻・早退しても、通常どおり賞与を受け取れる」と考えて、遅刻・早退を繰り返す可能性もあります。

先に述べたように、人事管理は、公正・厳正に行われることが必要です。このような観点からすると、遅刻・早退者については、賞与の支給額を控除するのがよいでしょう。

② 遅刻・早退控除の方法

賞与における遅刻・早退控除については、実務的に、主として
① 回数で控除する
② 一定の回数以上の場合に控除する
③ 時間で控除する
④ 一定の時間ごとに控除する
⑤ 一定の回数ごとに控除する

などの方法があります（図表2－10）。

図表2－10　遅刻・早退の控除

	例
① 回数で控除する	遅刻・早退合わせて3回をもって欠勤1日とみなし、支給額から控除する。
② 一定の回数以上の場合に控除する	遅刻・早退の回数が9回までは控除しない。9回を超えるときは、支給額から控除する。この場合、遅刻・早退合わせて3回をもって、欠勤1日とみなす。
③ 時間で控除する	遅刻・早退の時間を合計し、その時間分を支給から控除する。
④ 一定の時間ごとに控除する	遅刻・早退の合計時間に応じて、次のように取り扱う。 ・2時間～8時間以下のとき　　0.5日相当額を控除 ・8時間～16時間以下のとき　　1日相当額を控除

	・16時間～24時間以下のとき　　2日相当額を控除 ・24時間～32時間以下のとき　　3日相当額を控除 ・32時間～40時間以下のとき　　4日相当額を控除 （以下、略）
⑤　一定の回数ごとに控除する	遅刻・早退の合計回数に応じて、次のように取り扱う。 ・1～6回のとき　　　1日相当分控除 ・7～12回のとき　　 2日相当分控除 ・13～20回のとき　　3日相当分控除 （以下、略）

　これらの方式のうち、「回数で控除する」という方式を採用している会社が最も多いといわれます。これは、実務上の取扱いが簡便で、社員にとっても分かりやすいためでしょう。

　遅刻といっても、1回当たり5分、10分の遅刻もあれば、20分、30分の遅刻もあります。「ノーワーク・ノーペイ」という観点からすれば、賞与算定期間中の遅刻・早退の合計時間数を算出し、その時間数に応じて控除するのが合理的です。しかし、賞与の算定期間は一般に6ヶ月程度に及ぶため、その期間中の合計時間を算出するというのは、煩雑です。それよりは、1月は遅刻・早退が〇回、2月は〇回、3月は〇回というように、各月の回数を積み上げ、それを日数に換算して控除するのが簡便です。

③　回数方式の注意点

　なお、「遅刻・早退は、合わせて3回をもって欠勤1日とみなし、支給額を控除する」というように、回数で控除する場合には、その控除は、不就労時間の長短に係らずに行われるわけですから、「制裁処分」に相当します。したがって、「就業規則で、労働者に対して減給の制裁を定める場合、その減給は、1回の額が平均賃金の1日分の半額を超え、総額が1賃金支払期における賃金の総額の10分の1を超え

てはならない」という労働基準法第91条の規定が適用されます。

このため、回数控除方式を採用する場合には、控除の総額が賞与支給額の10分の1を超えることのないように注意しなければなりません。

(参考) 賞与からの減額に関する厚生労働省の通達

> ［賞与からの減給による制裁］
> 問　賞与からの減給による制裁は可能か。
> 答　制裁として賞与から減額することが明らかな場合は、賞与も賃金であり、法第91条の減給の制裁に該当する。したがって賞与から減額する場合も1回の事由については平均賃金の2分の1を超え、また、総額については、1賃金支払期における賃金、すなわち賞与額の10分の1を超えてはならないことになる。
> （昭和63・3・14、基発150号）

13　人事考課分の予算額超過対策

(1)　人事考課と賞与予算

賞与について、
- 平均支給額に人事考課分を加算する（支給額＝基礎給×平均支給月数×出勤率＋人事考課分）
- 平均支給額に人事考課係数を掛けて支給額を算定する（支給額＝基礎給×平均支給月数×出勤率×人事考課係数）

などの方式で、人事考課の結果を反映させている会社が多くあります。

業績への貢献度合は、社員一人ひとりによって異なります。貢献度の高い社員もいれば、それほど高くはない者もいます。このため、賞与における人事考課の実施は、適正な人事管理という観点からみて望

ましいことです。

 ところが、人事考課を行い、その結果を支給額に反映させるとなると、どうしても「支給総額が予算を上回る」という現象が生じます。人事考課に当たる部課長が部下の人事考課を甘く行うからです。

 この結果、「現場の部課長による人事考課を基に社員の賞与支給額を計算したら、総額が予算を20％もオーバーしてしまった」「支給総額が予算を1,000万円も超過してしまった」ということになります。

 この場合、予算を追加することができれば、円満に解決します。しかし、予算を安易に増額すると、予算管理の意味がなくなってしまいます。また、金銭支出が増え、経営基盤が弱体化しかねません。

 賞与について、「支給総額を〇〇〇万円とする」という形で社長の承認を得たときは、その総枠の中で各人の支給額を決めなければなりません。また、取締役会において、「賞与の支給総額は、業績を踏まえて〇〇〇万円とする」と決定したときは、その総額を超えない形で、各社員の支給額を決めなければなりません。

(2) 支給予算の遵守対策

 社員各人の支給額の合計が予算を超えないようにするための対策としては、実務的に、主として次のようなものがあります。

① 部課ごとの支給枠の決定

 これは、「営業部は、〇〇〇万円」「生産部は、〇〇〇万円」「商品部は、〇〇〇万円」という形で、部課ごとに人事考課分の総額を割り振り、その総額の範囲内で各人の人事考課分を決めさせるというものです。

 各部課の人事考課分の総枠は、
　・部の人員
　・部員の勤続年数、資格等級等の構成

・部員の給与額の構成（給与の高い者が多いか、低い者が多いか）
・これまでの賞与の人事考課の結果

などを総合的・客観的に判断して決定します。

　部課ごとの人事考課分の総額を決定したときは、これを部門長に通知し、「その総額の範囲内で、各社員の人事考課分を決めるよう」指示します。

　部課長は、部下一人ひとりについて、勤務態度、勤務成績等の考課を行い、各人の人事考課分を決定し、これを人事部長に報告します。

（様式1）部門長への人事考課分の決定通知

```
　　　　　　　　　　　　　　　　　　　　　　　○○年○○月○○日
各部長殿
　　　　　　　　　　　　　　　　　　　　　　　　　　　　人事部長
　　各部の人事考課分について（○○年度夏季・年末賞与）
```

部	人事考課分総額	（参考）前年同期の人事考課分総額	備考

（注）上記の総額を超えない範囲において部員の人事考課額を決定し、人事部長に報告すること。

(様式２) 人事部長への人事考課分決定報告

〇〇年〇〇月〇〇日

人事部長殿

〇〇部長

人事考課分決定報告

所属課	氏名	人事考課分	備考

以上

② 評価枠の設定

　賞与の人事考課は、あくまでも各社員の勤務態度および勤務成績を公正に評価して行うべきです。部下をどのように評価するかは、その部下の上司である役職者の判断に委ねるべきです。

　人事部のほうで、
- Ｓ評価（最高）　〇人以内、または社員の〇％以内
- Ａ評価　　　　〇人以内、または社員の〇％以内
- Ｂ評価（標準）　〇人程度、または社員の〇％程度

というように、一定の枠を示し、その枠に収めるように役職者に指示することは好ましいことではありません。

　しかし、賞与の支給総額が限られており、その総額を超えない範囲において各社員の支給額を決めなければならないという現実を考えると、評価ごとの枠を設けるのも止むを得ないでしょう。

　評価枠の設定には、
- 一律に定める
- 役職の有無別に定める

・資格等級別に定める

などがあります（図表2－11）。

図表2－11　評価枠の設定方法

	例
一律に定める	S評価（最高）　　5％程度 A評価　　　　　　10％程度 B評価（標準）　　70％程度 C評価　　　　　　10％程度 D評価　　　　　　5％程度
役職の有無別に定める	（一般社員） S評価（最高）　　5％程度 A評価　　　　　　15％程度 B評価（標準）　　70％程度 C評価　　　　　　10％程度 D評価　　　　　　枠は設けない （役職者） S評価（最高）　　5％程度 A評価　　　　　　15％程度 B評価（標準）　　80％程度 C評価　　　　　　枠は設けない D評価　　　　　　枠は設けない
資格等級別に定める	（社員1～3級）（初級社員） S評価（最高）　　10％以内 A評価　　　　　　25％以内 B評価（標準）　　60％以内 C評価　　　　　　5％以内 D評価　　　　　　枠は設けない （社員4～6級）（中級社員） S評価（最高）　　5％以内 A評価　　　　　　20％以内 B評価（標準）　　75％程度 C評価　　　　　　枠は設けない

D評価 (社員7〜9級)	枠は設けない (上級社員)
S評価（最高）	5％以内
A評価	10％以内
B評価（標準）	85％程度
C評価	枠は設けない
D評価	枠は設けない

③ 各人の人事考課分の一律カット

　これは、人事考課分の総額が予算をオーバーしたときに、その超過率に応じて、各人の人事考課分を一律にカットし、予算の超過を避けるというものです。

　例えば、夏季賞与について、全ての社員の人事考課分を合計したところ、予算を10％超過していることが確認されたとします。この場合は、各人の人事考課分を一律に10％カットします。

　次のとおりです。

　人事考課分が5万円と査定された社員→10％カットにより、4万5千円
　人事考課分が10万円と査定された社員→10％カットにより、9万円
　人事考課分が20万円と査定された社員→10％カットにより、18万円
　この方式は、
　・確実に支給額を予算の枠に収めることができる
　・機械的で簡便である
　・カット率が全員同じなので、公平である
などのメリットがあります。

　しかし、その半面、「役職者による人事考課の甘さ・辛さを克服できない」という問題点があります。

④　人事部による修正

　きわめて当然のことではありますが、人事考課分は、公正な人事考課に基づいて決められることが必要です。個人的な好き嫌いや、思い込みや、情実などを交えて、人事考課が行われてはなりません。

　ところが、人事部長あるいは人事部の立場から客観的・第三者的に判断すると、「考課の基準が少し甘いのではないか」とみられる役職者がいます。

　人事考課は、本来的に、役職者の責任と判断で行われるべきものですが、「甘い役職者がいる」と判断されるときは、人事部長あるいは人事部として、現場の役職者による考課結果を修正・変更することが望ましいといえます。

　例えば、S・A・B（標準）・C・Dという5段階で考課を行う場合に、ある部門の長がすべての部下を「A」と評価したとします。このような場合には、人事部長がその部門長に対して、他の部門の評価結果を伝え、「再度、評価を行うよう」求めます。あるいは、人事部長がその部門長から、部下一人ひとりの勤務態度（協調性・責任性・規律性・積極性・その他）や勤務成績（仕事の質・仕事の量）を聞きとり、人事部長の責任で、一次考課の結果を修正します。

　人事考課の結果は、金銭に係る問題です。社員にとって、きわめて重要な関心事項です。役職者による人事考課の甘さ・辛さを放置しておくと、会社の人事管理への不信感を増大させ、勤労意欲や忠誠心や帰属意識にマイナスの影響を及ぼすことになります。部下が上司に不信感を持つと、当然のことながら職場の空気が悪くなります。

　このため、必要に応じて、人事部長あるいは人事部として、調整措置（修正・変更）を講じることが望ましいといえます。

　なお、一部の社員について、人事考課分の修正を行うときは、あらかじめ社長の決裁を得るものとします。

（様式３）人事考課分の修正についての社長伺い

〇〇年〇〇月〇〇日
取締役社長殿
人事部長

賞与における人事考課分の修正について（伺い）

所属部課	氏名	当初の人事考課による金額	人事部による修正の金額	備考

以上

14　算定方式の見直し

　一般に、賞与の個人別支給額の算定式は、一度決定されると、それが長く踏襲されるものです。見直しが行われることは、きわめて稀です。

　しかし、現在使用されている算定式がベストであるという保証はまったくありません。改善・修正の余地があるかもしれません。

　会社としては、個人別支給額の算定式について、随時見直しを行うことが望ましいといえます。

　見直しの内容は、
・賞与算定の基礎となる「基礎給」
・人事考課加算部分の適切性
・人事考課係数を使用しているときは、係数の妥当性
・部門業績係数を使用しているときは、業績の評価の仕方と係数の

妥当性
・「基礎給×平均支給月数」という算定式で得られる金額に定額または定率を加算しているときは、定額または定率の妥当性などです（図表2－12）。

図表2－12　算定方式の見直しのポイント

	見直しのポイント
基礎給	・基礎給は、「業績の還元」という賞与制度の趣旨に沿っているか ・基礎給の中に、家族手当、住宅手当など、職務に関係のない手当が含まれていないか ・基礎給として基準内給与を使用する場合、営業手当、役付手当など、職務に関係のある手当が除かれていないか
出勤率	・出勤率の算定方式は適切か ・欠勤・遅刻・早退の控除は、過大または過少でないか ・年次有給休暇を欠勤扱いとしていないか
人事考課加算分（「基礎給×平均支給月数×出勤率＋人事考課分」の場合等）	・人事考課の加算額は適切であるか。過大または過少ではないか ・人事考課の加算額について、上限と下限が設けられているか ・人事考課の加算額の上限・下限を社員と役職者に区分して設定する必要はないか（全社員一律に設定している場合）
人事考課係数（「基礎給×平均支給月数×出勤率×人事考課係数」の場合等）	・人事考課係数の数値は適切か。過大または過少ではないか ・Ｓ評価（最高評価）とＤ評価（最低評価）の係数の格差に問題はないか ・人事考課係数を社員と役職者に区分して設定する必要はないか（全社員一律に設定している場合）

部門業績係数 (「基礎給×平均支給月数×部門業績係数×出勤率」の場合等)	・部門業績の評価方法は、業務の実態に即しているか。問題はないか ・部門業績の方法について、部門の責任者の理解が得られているか ・部門業績係数の数値は適切か。過大または過少ではないか ・部門業績係数を社員と役職者に区分して設定する必要はないか（全社員一律に設定している場合）
定額・定率加算分 (「基礎給×平均支給月数×出勤率＋定額加算」の場合等)	・定額または定率の加算基準は適切か ・定額または定率の加算額は適切か。過大または過少ではないか

第3章

賞与の人事考課

1 賞与の人事考課の項目

(1) 賞与と人事考課

　賞与は、業績の還元、成果の配分という性格を持つものです。

　業績・成果への貢献の度合いは、社員によって異なるのが一般的です。会社の期待に応えて大きく貢献した者もいれば、標準程度の者もいます。中には、貢献の度合いが会社の期待を大幅に下回った者もいます。

　このように、貢献の程度や度合が社員によって異なることを考えると、会社全体の業績が良かったからといって、すべての社員に同じ月数の賞与を支給するのは問題です。それよりも、社員一人ひとりについて、貢献の度合いや程度を公正に評価し、その結果に基づいて支給月数を決めるのが合理的でしょう。

(2) 人事考課の項目

　賞与の人事考課は、
　　・日常の勤務態度

・仕事の成果（勤務成績）
について行うのが一般的です。

　どのような姿勢や態度で仕事に取り組むかによって、成果は大きく異なります。ただ漫然と取り組むよりも、自分の役割と責任を強く意識し、積極的・意欲的に取り組むほうが多くの成果を収めることができます。実際、

　・どうすれば仕事を効率的に遂行できるか
　・どのようにすれば短い時間で多くの仕事ができるか
　・現在の仕事の進め方に無駄や改善点はないか

をよく考えて仕事に対処することは、生産性の向上と効率化、コストの削減においてきわめて重要です。

　会社は、仕事を組織的・効率的に進めるために、部、課、グループ、チームなどを編成しています。社員は、いずれかの組織に配属され、その組織の長の指示命令を受けて業務を遂行します。自分が所属する組織の長の指示命令をきちんと守るとともに、同僚と協調して仕事を進めることも重要です。

　仕事の成果（勤務成績）は、

　・仕事の量（あるいは、仕事のスピード）
　・仕事の質（あるいは、仕事の正確さ）

の両面から把握するのがよいでしょう。

　多くの会社は、個人ごとに、果たすべき仕事の目標を数値で決めています。目標を示すことなく、「1日8時間、会社が指示した仕事をすればそれでよい」という働かせ方は、通常はありません。個人ごとの目標が数値で示されているときは、その目標を達成することが求められます。

　仕事は、正確でなければなりません。いくら仕事の達成量が多いといっても、ミスや欠陥やエラーが多いのでは問題です。このため、仕事の正確さも評価します。

一般的に考えられる人事考課の項目を「勤務態度」と「勤務成績」とに区分して示すと、図表3-1のとおりです。

これらの中から、会社の経営方針や業種、職種の構成、役職の構成、社員数などを総合的に勘案していくつかを選択するのがよいでしょう。

図表3-1　賞与の人事考課の項目

対象分野	一般的・基本的なもの	付加的なもの
勤務態度	規律性、協調性、積極性、責任性	計画性、自主性、チャレンジ性、報告・連絡・相談、自己啓発、経営認識、コスト意識、その他
勤務成績	仕事の量（あるいは、仕事のスピード、目標の達成度）、仕事の質（あるいは、仕事の正確さ、出来栄え）	業務改善の成果、人材育成の成果

(3) 一般社員の考課項目と役職者の考課項目

人事考課の項目については、
- 全社員同一とする
- 一般社員と役職者に区分して決める

の2つの決め方があります。

一般社員と役職者とでは、果たすべき役割と責任が異なります。

一般社員は、役職者から指示された仕事を、役職者の指示や命令を守って迅速かつ正確に遂行することが求められます。また、上司や同僚との人間関係を大切にして、協調的に仕事をすることも必要です。自分が上司から指示された仕事が完了しても、同僚がまだ仕事を完了させていないときは、その同僚の仕事を手伝うようでなければなりません。

これに対して、役職者は、自分が担当する部門の業務を、部下を適

切に指揮命令し、かつ、経営環境をよく分析しつつ、確実に遂行することが求められています。常に「どのようにすれば、業務目標を効率的に達成することができるか」「業務の遂行に無駄や改善すべきことはないか」を考えて行動しなければなりません。また、経営環境は常に変化しているから、幅広く情報を収集し、「経営環境はどのように変化しているか」を分析し、必要に応じて、仕事の内容や進め方を改善することも求められています。

さらに、役職者は、社長と経営陣を補佐する立場にあるので、経営方針を正しく理解し、経営方針に沿って行動しなければなりません。

このため、人事考課の項目は、一般社員と役職者とに区分して決定するのが合理的・現実的です。

一般社員と役職者とに区分して考課項目を示すと、図表3－2のとおりです。

図表3－2　一般社員と役職者の考課項目

	一般社員	役職者
1　勤務態度		
規律性	○	
協調性	○	
積極性	○	○
計画性	○	○
責任性	○	○
自主性	○	
経営認識		○
コスト意識		○
2　勤務成績		
仕事の量（仕事の迅速さ）	○	
仕事の質（仕事の正確さ）	○	

| 部門の仕事の量 | | ○ |
| 部門の仕事の質 | | ○ |

(4) 考課項目の着眼点

　賞与の人事考課は、考課項目を決めたうえで、その一つひとつについて行うのが合理的・効率的ですが、ある考課項目をどのように理解するかが考課者によって異なることがあります。

　例えば、「協調性」について、ある考課者は、「職場の同僚と仲良く仕事をすること」と理解します。これに対して、ある考課者は、「人づきあいが良いこと。勤務時間外に、一緒に遊んだり飲みに出かけたりすること」を重視します。

　また、「積極性」について、ある考課者は、「新しい仕事に前向きに取り組むこと」と解釈します。これに対して、ある考課者は、「仕事が忙しいときに、進んで残業をすること。他人が忙しいときは、積極的に手伝うこと」と理解します。

　このように、項目の解釈が考課者によって異なると、考課の公正さが失われます。本来、高い評価を受けるべき社員が低い評価を受けることになりかねません。また、低い評価を受けるはずの社員が、思いもかけず、高い評価を受けたりします。

　評価の公正さを確保するため、すべての考課項目について、「その考課項目をどのように理解すべきか」を「着眼点」という形で示すのがよいでしょう。

　賞与の人事考課において使用される主要な考課項目について、その着眼点を示すと、図表３－３のとおりです。

図表３－３　考課項目の着眼点

分野	考課項目	着眼点
勤務態度	規律性	・就業規則などの規則・規程をよく守ったか ・仕事において、上司の指示命令をよく守ったか
	協調性	・上司・同僚との人間関係に気を配って仕事をしたか ・職場の和を重視して仕事をしたか
	積極性	・与えられた仕事に前向きの姿勢で取り組んだか ・仕事の進め方の改善、能力の向上に努めたか ・仕事の内容に不平不満をいうことはなかったか
	責任性	・与えられた仕事を最後までやり終えたか ・仕事への責任感・使命感が感じられたか ・仕事が忙しいときや困ったときに、安易に上司や同僚に助けを求めることはなかったか
	計画性	・あらかじめ合理的な計画を立てて仕事を進めたか ・当初の計画を安易に変更することはなかったか
	自主性	・自主的な姿勢で仕事に取り組んだか ・安易に上司や同僚に手助けを求めることはなかったか
	チャレンジ性	・仕事の守備範囲の拡大に前向きに取り組んだか ・仕事の進め方の改善・改良に熱心に取り組んだか
	報告・連絡・相談	・仕事の途中経過や結果や問題点などを上司に適宜適切に報告したか

		・報告・連絡のタイミングや内容は適切であったか ・仕事上の問題が生じたときに、上司に相談したか
	自己啓発	・本を読んだり、人の話を聞くなどして、仕事の知識の拡大に取り組んだか ・自ら勉強しようとする姿勢があるか
	経営認識	・会社の経営方針・経営理念を正しく理解して行動したか ・担当部門の利害得失にこだわることなく、広い立場、高い視点に立って、ものごとを判断したか
	コスト意識	・役職者として、常にコスト意識を持って行動したか ・日頃からコストの削減とムダの排除に努めたか
勤務成績	仕事の量	・能力や経験年数にふさわしい量の仕事をしたか ・与えられた仕事を迅速に遂行したか ・仕事の量についての目標を達成したか
	仕事の質	・与えられた仕事を正確に処理したか ・仕事において、ミスや不手際を起こすことはなかったか ・安心して仕事を任せることができたか
	部門の仕事の量	・部下を適切に指揮命令して、担当部門の業務目標を達成することができたか ・担当部門の業務の生産性向上において、一定の成果があったか
	部門の仕事の質	・担当部門の仕事を正確に遂行したか ・担当部門の業務内容は、質的に向上したか ・担当部門において、仕事のミスや不手際はなかったか

2 考課のウエイト付け

(1) ウエイト付けの基準

　賞与の人事考課は、「勤務態度」と「勤務成績」の2つの分野について行うのが一般的ですが、この場合、「勤務態度と勤務成績のどちらを重視するか」「これら2つの分野をどのような割合で取り扱うか」が、実務上のポイントとなります。

　これら2つのうち、それぞれにどのような重みを持たせるかを「ウエイト付け」といいます。

　ウエイトを特に決めずに、それぞれを評価するという方法も考えられますが、ウエイトを決めないと、人事考課の目的が曖昧となる可能性があります。人事考課の結果を賞与の支給額の決定と今後の人事管理に役立てるという観点からすると、ウエイト付けをするのが望ましいといえます。

　ウエイト付けは、
　・社員が果たすべき役割
　・評価のしやすさ
を勘案して決めます。

(2) 社員と役職者の考課ウエイト

　一般社員は、上司の指示命令にしたがって自己の業務を迅速かつ正確に遂行することが求められていますから、勤務態度50％程度、勤務成績50％程度とするのが適切でしょう。勤務成績のウエイトをあまり高く設定するのは好ましくないでしょう。

　これに対して、係長・課長・部長等の役職者は、社長から指示された担当部門の業務目標を効率的かつ確実に達成して、会社の業績に貢

献する役割と責任を負っています。部門の業務目標が達成されることにより、経営計画が達成され、営業利益・経常利益が確保されます。このため、「部門の業務目標をどの程度達成したか」という観点から、勤務成績のウエイトを高く設定すべきです。

役職者について、「役職者は部門の責任者であるから、勤務成績だけを評価すればよく、勤務態度を評価する必要はない」という意見もあります。しかし、役職者も組織の一員ですから、勤務態度もある程度評価すべきです。

一般社員と役職者とに区分して標準的なウエイト付けを示すと、図表3－4のとおりです。

図表3－4　人事考課のウエイト付け

	勤務態度	勤務成績	計
一般社員	50％程度	50％程度	100％
役職者	20％程度	80％程度	100％

3　人事考課の方法

人事考課には、主として、評語選択法、採点法および評語選択・採点併用法の3つの方法があります。

(1) 評語選択法（定性評価法）

これは、規律性、協調性などの考課項目ごとに、3つ、5つ、あるいは7つ程度の評語を設定し、そのいずれかを選択するというものです。

例えば、5段階評価方式の場合、次の5つの評語を用意します。

・きわめて優れていた（S評価）
・優れていた（A評価）

・普通（B評価）

・やや劣っていた（C評価）

・劣っていた（D評価）

　3段階では、評価が少し粗くなります。実態を把握するのが粗雑になります。これに対して、7段階では、評価が細かくなり、どれを選択すればよいのか、迷いが生じます。一般的には、5段階方式が妥当でしょう。

　実際、評語選択法を採用している会社についてみると、5段階方式を採用しているところが多くあります。

　評語選択法（定性評価法）の評語の例を示すと、図表3－5のとおりです。

図表3－5　評語選択法の評語例

	例1	例2	例3
3段階評価	優 普通 不可	優れていた 普通 劣っていた	申し分なかった 標準的 不十分だった
5段階評価	優 良 普通 やや不良 不良	きわめて優れていた 優れていた 普通 やや劣っていた 劣っていた	きわめて申し分なかった 申し分なかった 標準的 不十分であった きわめて不十分だった
7段階評価	優 良 やや良 普通 やや不良 不良 きわめて不良	きわめて優れていた 優れていた やや優れていた 普通 やや劣っていた 劣っていた きわめて劣っていた	きわめて申し分なかった 申し分なかった やや標準を上回った 標準的 やや標準を下回った 不十分であった きわめて不十分だった

(2) 採点法

　これは、規律性、協調性などの考課項目ごとに、5点満点、あるいは10点満点で評価するというものです。

　例えば、5点満点の場合、きわめて優れていれば「5点」、普通であれば「3点」、劣っていれば「1点」または「0点」となります。

(3) 評語選択・採点併用方式

　これは、規律性、協調性などの考課項目ごとに、評語選択と採点の両面から評価するというものです。すなわち、各選択肢ごとに点数を設定するというものです。

　例えば、5段階方式を採用する場合、次のようにします。

・きわめて優れていた（S評価）→5点
・優れていた（A評価）→4点
・普通（B評価）→3点
・やや劣っていた（C評価）→2点
・劣っていた（D評価）→1点

　この方式では、いずれかの評語を選択すれば自動的・機械的に採点できるというメリットがあり、実務上便利です。

(4) 各評価方式のメリットと問題点

　各評価方式とも、メリットもあれば、問題点（デメリット）もあります。メリットだけで問題点はまったくないというものは存在しません。逆に、メリットはなく、問題点のみという評価方式も存在しません。

　各評価方式のメリットと問題点を整理すると、図表3－6のとおりです。

図表３−６　各評価方式のメリットと問題点

	メリット	問題点
評語選択法	評価者の負担が少ない	評価の結果が「普通」「標準」に集中しやすい
採点法	評価結果を数値で把握できる	評価者の間において、評価基準を統一するのが難しい
評語選択・採点併用法	評語による評価を自動的・機械的に数値に変換できる	評価ごとの点数を決めるのが難しい

4　考課者

　人事考課を行うときは、あらかじめ、「誰が誰を評価するか」を決めておきます。

　人事考課は、社員の日常の勤務態度と勤務成績を評価するものです。このため、社員と日常的に接する立場にある者（すなわち、社員に仕事を指示命令、監督する立場にある者）が考課に当たるのが適切です。

　一般には、直属の上司が考課に当たるのがよいでしょう。直属の上司は、担当部門の業務を遂行する責任を負っており、その責任を果たすために部下に仕事を指示命令し、監督する立場にあります。日々、部下と接し、部下の仕事ぶりを観察し、監督する立場にあります。このため、部下の勤務態度がどうであるか、仕事の量はどの程度か、仕事は正確で信頼できるかを最もよく把握できます。

　なお、一人の役職者だけが人事考課に当たると、人事考課に偏りやゆがみが生じる危険性があります。例えば、個人的な感情や好き嫌いから、仕事の良くできる社員を「仕事への積極性と責任感に欠ける」「能力に比較して仕事の進め方が遅く、仕事の量が少ない」などと評

価してしまいます。

　人事考課は、賞与の支給金額を決定する目的で行うものですから、偏りやゆがみが生じるのはよくありません。

　人事考課の偏りを防ぐため、複数の役職者が考課に当たることにするのが望ましいといえます。すなわち、直属の上司が一次考課を行い、その上の役職者が二次考課に当たります。

　一般的な被考課者と考課者との関係を示すと、図表３－７のとおりです。

図表３－７　被考課者と考課者

	一次考課者	二次考課者
一般社員	係長	課長
係長	課長	部長
課長補佐・副課長	課長	部長
課長	部長	担当役員

5　考課の基準

　人事考課の方法には、「相対評価」と「絶対評価」の２つがあります（図表３－８）。

図表３－８　人事考課の方式

相対評価	他の社員を基準として評価する
絶対評価	被考課者の能力、勤続年数等を基準として評価する

(1) 相対評価

これは、「他の社員と比較してどうか」という観点から、被考課者を評価するものです。すなわち、被考課者について、

- 他の社員と比較して、勤務態度はどうか
- 他の社員と比較して、勤務成績（仕事の量、仕事の質）はどうであったか

を評価します。

相対評価は、同じ職場で働く他の社員と比較するものですから、考課者にとって評価しやすいというメリットがあります。

実際、「他の社員と比べて規律性はどうであったか」「他の社員と比べて協調性はどうであったか」などということは、それほど深く考えなくても結論を出せます。

しかし、その反面において、決定的な問題点もあります。それは、勤務成績の評価です。入社して日が浅い社員は、仕事の知識や技能・技術をあまり習得していないので、勤続の長い社員やベテラン社員に比べて「仕事の量が少ない」「仕事の進め方が遅い」「仕事の正確さに欠ける」と評価されてしまいます。勤続の浅い社員の勤務成績が良くないのは、あくまでも仕事に習熟していないためであり、仕事への熱意や意欲に問題があるためではありません。それにもかかわらず、低い評価を受けるというのは合理的ではありません。

(2) 絶対評価

これは、「被考課者の能力、勤続年数、資格等級など」を基準として被考課者を評価するものです。すなわち、被考課者について、

- 本人の能力、勤続年数等からみて、勤務態度はどうか
- 本人の能力、勤続年数等からみて、勤務成績（仕事の量、仕事の質）はどうであったか

を評価します。

　一般に、会社は、能力や勤続年数等を基準として、給与の金額を決めます。勤続年数が長くなればなるほど、また、能力のレベルが高くなればなるほど、給与が高くなります。したがって、会社は、能力の高い社員、勤続の長い社員に対して、「強い責任感を持って積極的・意欲的に仕事に取り組み、仕事において高い成果を達成すること」を期待します。

　このため、被考課者の能力、勤続年数、資格等級などを基準として、被考課者を評価するという絶対考課は、合理的・論理的といえます。

　人事考課においては、絶対評価方式を採用すべきです。

6　人事考課表のモデル

(1)　人事考課表の記載事項

　人事考課は、統一的に行うことが必要です。考課者によって考課項目が異なったり、考課項目の着眼点が違ったり、あるいは、評価区分が異なるということがあってはなりません。

　また、人事考課は、効率的に行うことも重要です。人事考課に時間がかかり、その分賞与の支給が遅れて社員に迷惑を掛けるようなことがあってはなりません。

　人事考課を統一的・効率的に行うため、あらかじめ、一定の人事考課表を作成し、これを考課者に配布し、これによって考課を行うようにするのがよいでしょう。当然のことながら、人事考課表は記載しやすいものでなければなりません。記載しにくいもの、用語や表現の解釈に戸惑うもの、考課者に過度の負担を強いるものは、考課表としては失格です。

考課表に記載すべき事項は、主として、次のとおりです。
① 被考課者の氏名
② 考課対象期間
③ 考課項目
④ 考課項目ごとの着眼点
⑤ 考課項目ごとの評価方法
⑥ 考課者の氏名

(2) 人事考課表のモデル

考課表のモデルを示すと、
　・一般社員については、「様式1」
　・役職者については、「様式2」
のとおりです。

（様式１）一般社員の人事考課表

人事考課表（一般社員）
（○○年度夏季・年末賞与）

被考課者	○○部○○課　（氏名）○○○○
考課対象期間	○○年○○月○○日～○○年○○月○○日

～考課対象期間中の勤務態度および勤務成績を次の５段階で公正に評価して下さい～
（評価区分）
S＝きわめて優れていた
A＝優れていた
B＝普通
C＝やや劣っていた
D＝劣っていた

評価項目	着眼点	評価
1　勤務態度		
規律性	・就業規則などの規則・規程をよく守ったか ・仕事において、上司の指示命令をよく守ったか	S　A　B　C　D 10　8　6　4　2
協調性	・上司・同僚との人間関係に気を配って仕事をしたか ・職場の和を重視して仕事をしたか	S　A　B　C　D 10　8　6　4　2
積極性	・与えられた仕事に前向きの姿勢で取り組んだか ・仕事の進め方の改善、能力の向上に努めたか ・仕事の内容に不平不満をいうことはなかったか	S　A　B　C　D 15　12　9　6　3
責任性	・与えられた仕事を最後まできちんとやり終えたか ・仕事への責任感・使命感があったか	S　A　B　C　D 15　12　9　6　3

2　勤務成績		
仕事の量	・能力や経験年数にふさわしい量の仕事をしたか ・与えられた仕事を迅速に遂行したか	S　A　B　C　D 25　20　15　10　5
仕事の質	・与えられた仕事を正確に処理したか ・仕事において、ミスや不手際を起こすことはなかったか	S　A　B　C　D 25　20　15　10　5
	合計点（100点満点）	点

一次考課者氏名	
一次考課者所見	

二次考課者氏名	
二次考課者所見	□一次考課は適切である □一次考課はおおむね適切である □次のように評価するのが妥当である （勤務態度○○点、勤務成績○○点、合計○○点）

以上

(様式2) 役職者の人事考課表

人事考課表（役職者）
（○○年度夏季・年末賞与）

被考課者	○○部○○課　（氏名）○○○○
考課対象期間	○○年○○月○○日〜○○年○○月○○日

〜考課対象期間中の勤務態度および勤務成績を次の5段階で公正に評価して下さい〜

（評価区分）
S＝きわめて優れていた
A＝優れていた
B＝普通
C＝やや劣っていた
D＝劣っていた

評価項目	着眼点	評価
1　勤務態度		
積極性	・部門の業務目標達成のために部下の先頭に立って仕事に取り組んだか ・部門の仕事の改善、生産性の向上に取り組んだか	S A B C D 5 4 3 2 1
責任性	・役職者としての役割と責任を意識して行動したか ・仕事への責任感・使命感があったか	S A B C D 5 4 3 2 1
経営認識	・会社の経営方針・経営理念を正しく理解して行動したか ・担当部門の利害得失にこだわることなく、広い立場、高い視点に立って、ものごとを判断したか	S A B C D 5 4 3 2 1

コスト意識	・常にコスト意識を持って仕事に取り組んだか ・日頃からコストの削減とムダの排除に努めたか	S A B C D 5 4 3 2 1
2　勤務成績		
業務目標の達成度	・部下を適切に指揮命令して、担当部門の業務目標を達成することができたか ・担当部門の生産性の向上において、一定の成果があったか	S A B C D 60 48 36 24 12
部門業務の質	・担当部門の業務内容は、正確で質的に優れていたか ・担当部門において、仕事のミスや不手際はなかったか	S A B C D 20 16 12 8 4
	合計点（100点満点）	点

一次考課者氏名	
一次考課者所見	

二次考課者氏名	
二次考課者所見	□一次考課は適切である □一次考課はおおむね適切である □次のように評価するのが妥当である （勤務態度○○点、勤務成績○○点、合計○○点）

以上

(3) 職種別の人事考課表のモデル

　社員の職種は、様々です。事務職もあれば、営業職もあります。研究職もあれば、企画職もあります。一般に、会社の規模が大きくなったり、事業内容の多角化が進むと、職種が増加します。

　職種によって、仕事の進め方や手順も異なります。会社から仕事の進め方を具体的に指示されるものもあれば、本人の裁量に委ねられる高度の知的業務もあります。期待される仕事の成果も、職種によって異なります。

　このように、職種によって、仕事の進め方や期待される成果が異なることを考えると、職種ごとに人事考課表を作成するのが合理的・現実的であるといえます。職種による仕事の内容や、期待される成果を踏まえた考課表を作成し、それを使用することにより、人事考課の効用と納得性・説得性が高まります。

　一般社員について、主要な職種の賞与用人事考課表のモデルを示すと、
　　・事務職については、「様式3」
　　・営業職については、「様式4」
　　・研究職については、「様式5」
　　・現業職・技能職については、「様式6」
のとおりです。

(様式３) 事務職の人事考課表

人事考課表（事務職）
(○○年度夏季・年末賞与)

被考課者	○○部○○課　（氏名）○○○○
考課対象期間	○○年○○月○○日～○○年○○月○○日

～考課対象期間中の勤務態度および勤務成績を次の５段階で公正に評価して下さい～
（評価区分）
S＝きわめて優れていた
A＝優れていた
B＝普通
C＝やや劣っていた
D＝劣っていた

評価項目	着眼点	評価
1　勤務態度		
規律性	・就業規則などの規則・規程をよく守ったか ・上司の指示命令をよく守ったか	S　A　B　C　D 10　8　6　4　2
積極性	・与えられた仕事に前向きの姿勢で取り組んだか ・仕事の進め方の改善、能力の向上に努めたか ・仕事の内容に不平不満をいうことはなかったか	S　A　B　C　D 15　12　9　6　3
責任性	・与えられた仕事を最後まできちんとやり終えたか ・仕事への責任感・使命感があったか	S　A　B　C　D 15　12　9　6　3
自主性	・自主的な姿勢で仕事に取り組んだか ・安易に上司や同僚に手助けを求めることはなかったか	S　A　B　C　D 10　8　6　4　2

2　勤務成績		
仕事の量	・能力や経験年数にふさわしい量の仕事をしたか ・与えられた仕事を迅速に遂行したか	S　A　B　C　D 25　20　15　10　5
仕事の質	・与えられた仕事を正確に処理したか ・仕事において、ミスや不手際を起こすことはなかったか	S　A　B　C　D 25　20　15　10　5
	合計点（100点満点）	点

一次考課者氏名	
一次考課者所見	

二次考課者氏名	
二次考課者所見	□一次考課は適切である □一次考課はおおむね適切である □次のように評価するのが妥当である （勤務態度○○点、勤務成績○○点、合計○○点）

以上

(様式４) 営業職の人事考課表

人事考課表（営業職）
（〇〇年度夏季・年末賞与）

被考課者	〇〇部〇〇課　（氏名）〇〇〇〇
考課対象期間	〇〇年〇〇月〇〇日～〇〇年〇〇月〇〇日

～考課対象期間中の勤務態度および勤務成績を次の５段階で公正に評価して下さい～
（評価区分）
S＝きわめて優れていた
A＝優れていた
B＝普通
C＝やや劣っていた
D＝劣っていた

評価項目	着眼点	評価
1　勤務態度		
規律性	・就業規則などの規則・規程をよく守ったか ・上司の指示命令をよく守って営業活動をしたか	S　A　B　C　D 10　8　6　4　2
積極性	・売上・受注を伸ばすために、前向きの姿勢で営業活動に取り組んだか ・新商品の販売、新しい取引先の開拓、代金の回収に積極的に取り組んだか ・営業能力の向上に努めたか	S　A　B　C　D 15　12　9　6　3
責任性	・営業職としての自分の役割と責任をよく自覚して営業活動に当たったか ・お客さまとの間で発生したトラブルの解決に誠実に取り組んだか	S　A　B　C　D 15　12　9　6　3

接客応対	・お客さまに対して、礼儀正しく、明るい態度で応対したか ・接客応対の面で問題やクレームが目立つことはなかったか	S　A　B　C　D 10　8　6　4　2
2　勤務成績		
営業実績	・売上目標・受注目標を達成することができたか ・会社が決めた営業ルールを遵守して営業活動を遂行したか	S　A　B　C　D 25　20　15　10　5
売上代金回収	・売上代金を確実に回収したか ・売上代金の回収おいて、ミスや不手際を起こすことはなかったか	S　A　B　C　D 25　20　15　10　5
	合計点（100点満点）	点

一次考課者氏名	
一次考課者所見	

二次考課者氏名	
二次考課者所見	□一次考課は適切である □一次考課はおおむね適切である □次のように評価するのが妥当である （勤務態度〇〇点、勤務成績〇〇点、合計〇〇点）

以上

(様式５) 研究職の人事考課表

人事考課表（研究職）
（○○年度夏季・年末賞与）

被考課者	○○部○○課　（氏名）○○○○
考課対象期間	○○年○○月○○日～○○年○○月○○日

～考課対象期間中の勤務態度および勤務成績を次の５段階で公正に評価して下さい～
（評価区分）
S＝きわめて優れていた
A＝優れていた
B＝普通
C＝やや劣っていた
D＝劣っていた

評価項目	着眼点	評価
1　勤務態度		
積極性	・与えられた研究テーマに前向きの姿勢で取り組んだか ・研究活動の進め方の改善・改良と効率化に積極的に取り組んだか	S　A　B　C　D 10　8　6　4　2
計画性	・あらかじめ合理的な計画を立てて研究活動を進めたか ・当初の計画を安易に変更することはなかったか	S　A　B　C　D 10　8　6　4　2
自主性	・自主的な姿勢で研究活動に取り組んだか ・安易に上司や同僚に手助けを求めることはなかったか	S　A　B　C　D 10　8　6　4　2
報告・連絡	・研究活動の途中経過や結果や問題点などを上司に適宜適切に報告したか ・報告・連絡のタイミングや内容は適切であったか	S　A　B　C　D 10　8　6　4　2

協調性	・他の研究職とよくコミュニケーションをとって研究活動を進めたか ・研究活動において、独善的・排他的なところはなかったか	S A B C D ├─┼─┼─┼─┤ 10 8 6 4 2
2　勤務成績		
研究活動の成果	・研究活動の成果は、能力や経験年数にふさわしいものであったか ・経営に貢献する研究成果を収めることができたか ・当初の研究目標をどの程度達成することができたか	S A B C D ├─┼─┼─┼─┤ 50 40 30 20 10
	合計点（100点満点）	点

一次考課者氏名	
一次考課者所見	

二次考課者氏名	
二次考課者所見	□一次考課は適切である □一次考課はおおむね適切である □次のように評価するのが妥当である （勤務態度○○点、勤務成績○○点、合計○○点）

以上

(様式６) 現業職・技能職の人事考課表

人事考課表（現業職・技能職）
（○○年度夏季・年末賞与）

被考課者	○○部○○課　（氏名）○○○○
考課対象期間	○○年○○月○○日～○○年○○月○○日

～考課対象期間中の勤務態度および勤務成績を次の５段階で公正に評価して下さい～
（評価区分）
　S＝きわめて優れていた
　A＝優れていた
　B＝普通
　C＝やや劣っていた
　D＝劣っていた

評価項目	着眼点	評価
１　勤務態度		
規律性	・就業規則、安全衛生規則などの規則・規程をよく守ったか ・作業の進め方や作業時間などについて、上司の指示命令をよく守ったか	S　A　B　C　D 10　8　6　4　2
協調性	・上司・同僚との人間関係に気を配って行動したか ・職場の和を重視して仕事をしたか	S　A　B　C　D 10　8　6　4　2
積極性	・与えられた仕事に前向きの姿勢で取り組んだか ・仕事の進め方の改善、能力の向上に努めたか ・仕事の内容に不平不満をいうことはなかったか	S　A　B　C　D 10　8　6　4　2
責任性	・与えられた仕事を最後まできちんとやり終えたか ・仕事への責任感・使命感があったか	S　A　B　C　D 10　8　6　4　2

安全衛生	・安全衛生に十分気を配って仕事を進めたか ・作業を急ぐあまり、安全衛生を軽視することはなかったか	S A B C D 10 8 6 4 2
2　勤務成績		
仕事の量	・能力や経験年数にふさわしい量の仕事をしたか ・与えられた仕事を迅速に遂行したか	S A B C D 25 20 15 10 5
仕事の質	・与えられた仕事を正確に処理したか ・仕事において、ミスや不手際を起こすことはなかったか	S A B C D 25 20 15 10 5
	合計点（100点満点）	点

一次考課者氏名	
一次考課者所見	

二次考課者氏名	
二次考課者所見	□一次考課は適切である □一次考課はおおむね適切である □次のように評価するのが妥当である （勤務態度○○点、勤務成績○○点、合計○○点）

以上

7　人事考課マニュアルの作成

　人事考課は、人事部門が行うものではありません。営業部門、販売部門、生産部門、研究部門などの各部門の役職者が、本来の仕事の合間を利用して行うものです。

　人事考課は、「賞与の支給金額をいくらとするか」を決めるために行うものです。このため、個人的な好き嫌いや感情や思い込みにとらわれることなく、公正に行われなければなりません。考課の公正さが失われると、

　・上司への信頼感が低下する。不信感が生まれる
　・職場の人間関係が悪くなる
　・社員の勤労意欲が低下する
　・会社への不信感が増大する

などの問題が生じます。

　会社としては、人事考課が少しでも公正に行われるように努めることが必要です。そのような観点からすると、人事考課の実施要領を取りまとめた文書（人事考課マニュアル）を作成し、これを人事考課に当たる役職者に配布し、「これをよく読んで人事考課を行うように」と指示するのがよいでしょう。

　人事考課マニュアルには、人事考課の目的、人事考課の対象者、人事考課の分野と項目などを盛り込みます（図表３－９）。

図表3−9　人事考課マニュアルに盛り込むべき事項

① 人事考課の目的
② 人事考課の対象者
③ 人事考課の分野と項目
④ 人事考課の区分
⑤ 人事考課の対象期間
⑥ 人事考課の方法
⑦ 人事考課の留意点

参考　人事考課マニュアル

〇〇年〇〇月〇〇日

役職者各位

人事部長

賞与の人事考課マニュアル

　このマニュアルは、賞与のための人事考課の内容や考課者の心得を記載したものです。このマニュアルに沿って、所属社員の人事考課を行って下さい。

1　人事考課の目的

　夏季・年末に支給する賞与は、基本的に「業績の還元」「成果の配分」という性格を持つものです。したがって、社員一人ひとりについて、業績への貢献度合いを公正に評価したうえで賞与の支給金額を決定するのが合理的です。

　賞与の人事考課は、個人ごとの賞与の支給金額を決定するために行うものです。

2　人事考課の対象者

担当部門の社員全員。ただし、次に掲げる者は除きます。
- 賞与算定期間中の勤務日数が所定勤務日数の3分の2に満たない者
- 賞与算定期間後に退職した者

3　人事考課の対象分野と項目

	勤務態度に関する事項	勤務成績に関する事項
一般社員	規律性、協調性、積極性、責任性	仕事の量（仕事の迅速さ）、仕事の質（仕事の正確さ）
役職者	積極性、責任性、経営認識、コスト意識	担当部門の仕事の量（目標達成度）、担当部門の仕事の質

4　評価の区分

各考課項目について、次の5つの区分で評価する。
- S＝きわめて優れていた
- A＝優れていた
- B＝普通
- C＝やや劣っていた
- D＝劣っていた

5　考課の基準

人事考課には、
- 他の社員を基準として評価する（相対評価）
- 被考課者の能力、勤続年数等を基準として評価する（絶対評価）

の2つの方法があります。

このうち、「被考課者の能力、勤続年数等を基準として評価する」という方法で評価を行って下さい。

6　人事考課の対象期間

　夏季賞与　　前年11月21日～当年5月20日
　年末賞与　　当年5月21日～11月20日

7　人事考課の方法

　所定の「賞与人事考課表」によって行って下さい。

8　人事考課者の心構え

　人事考課に当たっては、次のことに十分配慮して下さい。
① 　私情を交えず、公正に考課を行うこと。
② 　客観的な事実と観察をもとに考課を行うこと。
③ 　仕事・職場に関係したことを評価すること。仕事と職場に関係のない個人的な考えや行動は評価しないこと。
④ 　心身のゆとりのあるときに、短期集中的に考課を行うこと。
⑤ 　安易に全員を「標準」「普通」と評価しないこと。

～最後に～

　人事考課は、役職者の責任です。人事考課をためらうことは、役職者として採るべき姿勢・態度ではありません。
　客観的で公正な人事考課によって、適正な処遇が図られるとともに、人材の育成が図られ、職場の活力が増大することとなります。
　自信をもって公正な評価を行うことを期待します。

以上

第4章 人事考課の納得性向上策

1 人事考課への不満

(1) 人事考課の必要性

　賞与（一時金）の個人別の支給額は、業績への貢献度に応じて決めるのが合理的です。業績に大きく貢献した社員には支給額を多めにし、貢献度の低い者に対しては支給額を少なめにするのが合理的です。

　業績に対する貢献度をいっさい評価することなしに、全員に同じ支給月数を支給するのは合理的とは言えません。

　業績への貢献度に応じて賞与の支給額を決定する目的で、多くの会社が人事考課を実施しています。

　この人事考課に対して多くの社員が不満を感じているといわれます。「自分の仕事上の実績が正しく評価されていない」「課長の人事考課は納得できない」など、不満の内容や程度はさまざまです。

　人事考課の結果について社員のすべてが100％納得し、満足しているという会社はきわめて少ないといわれます。

(2) 納得性を高める努力

会社は、賞与の支給額の決定に当たって人事考課を行うときは、その納得性の向上に努めることが必要です。

2 二次考課の実施

(1) 考課と個人的な感情

人事考課は、「人（役職者）が人（部下）を評価する」というものです。人の評価ほど、難しいことはありません。

人には、感情、好き嫌い、思い込みがあります。そのような個人的な感情や好き嫌いというものが人事考課に反映され、考課に主観が入り込む可能性があります。考課者自身は「私情を交えず、公正・客観的に評価している」と思っていても、第三者の立場から客観的に見ると、個人的な感情に左右されていることがあります。

人事考課の公正性・客観性を高めるという観点からすると、一次考課だけではなく、二次考課を実施することが望ましいといえます。すなわち、被考課者の上司が一次考課を行い、さらに、一次考課者の上位の役職者（一次考課者が係長のときは、課長、一次考課者が課長のときは、部長）が二次考課を行います。

(2) 一次考課と二次考課の調製

二次考課を行うと、一次考課との間に差異が生じることがあります。例えば、一次考課者は70点と評価しているのに対して、二次考課者は90点と評価することがあります（100点満点方式の場合）。

一次考課と二次考課の差異の調整については、図表に示すような方

法があります。

図表4-1　一次考課と二次考課の差異の調整法

① 一次考課を採用する
② 二次考課を採用する
③ 一次考課者と二次考課者が話し合って決める
④ 一次考課と二次考課の平均点を採用する

(3) 平均点を採用する

　一次考課と二次考課との間に差異が生じたときに、「被考課者と日常的に接触しているのは一次考課者であるから」という理由で一次考課を採用するのであれば、二次考課を実施する意味はありません。

　これに対して「高い立場から被考課者を見ているのは二次考課者であるから」という理由で二次考課を採用するのであれば、もともと一次考課を行う意味はありません。

　さらに、一次考課者と二次考課者とが話し合うというのは、一見すると民主的な方法といえますが、両者の力関係から二次考課者の評価が採用される可能性が高いと思われます。

　このように考えると、一次考課と二次考課との平均点を採用するという方式を選択するのが現実的です。

　例えば、一次考課70点、二次考課90点であるときは、その平均の80点を採用します。

3 再考課の依頼・指示

(1) 甘すぎる考課と辛すぎる考課

　人事考課は、部下の日常の態度・行動と職務上の成績をもとにして公正に行われることが必要です。また、人事考課を公正に行うことは、役職者の重要なミッション（使命）です。

　しかし、実際には、「甘すぎる」「辛すぎる」と判断される考課が行われることがあります。例えば、

- 全社平均が70点であるのに、ある部門では90点で、突出している（100点満点方式の場合）
- 大半の部門では、総合考課の分布が「優」30％程度、「普通」60％程度、「劣」10％程度であるのに、ある部門だけは「優」50％、「普通」50％、「劣」0％である（優・普通・劣の3区分評価の場合）

などです。

(2) 考課のやり直し

　考課結果の突出を放置しておくのは好ましくありません。考課の甘い部門の社員は、業績への貢献度以上の賞与を受け取ることになり、不合理・不条理です。反対に、考課の厳しい部門の社員は、賞与の支給額が必要以上に少なくなるという不利益を受けます。

　人事部長の立場から、明らかに「甘すぎる」あるいは「辛すぎる」と判断されるときは、その考課者に対して、「考課結果が他の部門と著しくかけ離れている」旨を告げ、考課のやり直しを依頼または指示します。

4　部門間の考課格差の調整

(1)　部門間の考課格差の発生

　人事考課には、考課者（役職者）の人柄や性格や生活態度が現れるといわれます。人柄・性格が温厚な役職者は、全般的に考課が寛大となり、自分自身や家族に厳しい役職者は、全般的に部下を厳しく評価しがちであるといわれます。

　その結果、部門によって、考課の結果に格差が生じることがあります。例えば、

- 部員の平均点が営業部では70点であるのに、商品開発部は80点である（100点満点方式の場合）
- システム部は全員の6割が「優」であるのに、国際部は「優」が2割に満たない（優秀・優・普通などの評語方式の場合）

などです。

　人事考課は、人間が行うもので、機械やAI（人工知能）が行うものではありません。したがって、部門によって多少の格差（甘辛）が発生するのは避けられないでしょう。

　しかし、大きい格差を容認するのは問題です。評価の厳しい部門の社員が不利益を被ることになります。人事部門が「格差が大きすぎる」と判断したときは、部門間の調整を行い、格差を是正するべきです。

(2)　調整の方式

　部門間の格差の調整には、実務的に、図表に示すような方式があります。

　全社員について公平な取り扱いを行うという観点から判断すると、

引き上げ・引き下げ併用方式を採用するのがよいでしょう。

図表4－2　部門間の格差の調整

①引き上げ方式	会社全体の平均点よりも低い部門について、全員の平均点を会社全体の平均点まで引き上げる（会社全体の平均点よりも高い部門については、調整を行わない）
②引き下げ方式	会社全体の平均点よりも高い部門について、全員の平均点を会社全体の平均点まで引き下げる（会社全体の平均点よりも低い部門については、調整を行わない）
③引き上げ・引き下げ併用方式	会社全体の平均点よりも低い部門については、全員の平均点を会社全体の平均点まで引き上げ、会社全体の平均点よりも高い部門については、引き下げる

(3) 引き上げ・引き下げ併用方式の事例

引き上げ・引き下げ併用方式の事例を示すと、次のとおりです。

図表4－3　引き上げ・引き下げ併用方式の事例

全社平均よりも5点低い部門	全社平均よりも10点高い部門
68点の社員➡73点 64点の社員➡69点 57点の社員➡62点	85点の社員➡75点 78点の社員➡68点 81点の社員➡71点

(4) 調整の幅

調整の幅の取り扱いについては、
・全社平均と部門平均との差のすべてを調整する（例えば、全社平

均と部門平均の差が10点であるときは、10点を調整の対象とする）
・全社平均と部門平均との差の一定割合を調整する（例えば、全社平均と部門平均の差が10点であるときは、その半分の５点を調整の対象とする）

の２つがあります。

社員の立場に配慮すれば、全社平均との差の100％を調整の対象とするべきでしょう。

しかし、会社としては、考課者（役職者）の立場にも配慮する必要があります。役職者は、部下の態度・成績を自分なりに評価して採点したはずです。全社平均との差の100％を調整の対象とすると、役職者の考課結果を軽視することになります。

一般的・常識的に判断すると、全社平均との差の50％程度を調整の対象とするのが適切でしょう。

5　考課結果のフィードバック制度

人事考課は、社員の能力と成績に応じた適正な処遇を行うことを目的として、会社が会社の責任で実施するものです。このため、これまでは、「考課結果を社員に知らせる必要はない」という考えが強く、結果を社員に知らせる会社は少数でした。

しかし、最近は、「社員の優れている点、劣っている点を会社と本人が確認し、その共通認識を踏まえて社員の育成と処遇を行うのが望ましい」と考える会社が多くなり、考課結果を本人にフィードバックする会社が増加しています。

考課結果のフィードバックは、
・考課結果の納得性、透明性を高める
・本人の能力開発の動機づけを与える

（様式1）考課結果の通知書

```
                                    ○○年○月○日
  ○○部○○課○○○○様
                                    人事部長
          人事考課の結果について（お知らせ）
    人事考課の結果は次のとおりでした。
        態度考課    ○○点
        成績考課    ○○点
        計        ○○点
                                         以上
```

(2) フィードバックの対象者

考課結果のフィードバックの対象者については、図表に示すような取り扱いがあります。

現在、フィードバック制度を実施している会社について、その対象者を見ると、過半数が全社員を対象としています。

この制度を実施するときは、すべての社員を対象とし、人事考課の納得性・透明性の向上に結び付けるべきです。

図表4－4　考課結果のフィードバックの対象者

①	全社員
②	希望者に限定する
③	会社が必要と認める者に限定する
④	特定の職種または職掌に限定する

(3) 公正な考課の呼びかけ

考課結果のフィードバックを制度として実施すると、役職者の人事考課が全般的に甘くなる（寛大になる）可能性があると指摘されています。これは、被考課者（部下）への遠慮の気持ちが働くからでしょう。

人事考課が甘くなるのは好ましいことではありません。

考課のフィードバック制度を実施するときは、役職者に対して「公正に人事考課を行うこと」を改めて呼びかける必要があります。

6 苦情の受け付け

(1) 人事部門での受け付け

人事考課については、不満を持っている社員が少なくないといわれます。

考課は、一般に、被考課者の上司である役職者によって行われ、人事部門に提出されます。したがって、不満は上司にストレートに申し出るのが解消の早道です。しかし、上司に直接不満を申し出るのは、一般の社員にとっては気の重いことです。

また、社員が直接的に上司に不満をぶつけると、上司との人間関係が悪くなり、いわゆるパワーハラスメントが生じる可能性があります。

このため、受付の窓口は人事部門とするのが現実的でしょう。

苦情の申出の方法は、口頭、電話、メール、その他、何でも差し支えないものとします。

人事部門は、苦情を受け付けたときは、役職者の意見を聴くなどして、その対応に当たります。

事実関係の調査の結果、社員の思い込みや誤解によるものであると判断されたときは、申し出た社員にその旨を伝えます。また、役職者の考課に問題があると判断されたときは、役職者に対して改善を求めます。

(2) 秘密の保持

　人事考課についての不満・不平は、その性格上、「他人には知られたくないこと」です。

　人事部門は、苦情を申し出た社員の氏名および苦情の内容を第三者に口外することがあってはなりません。秘密を固く守る必要があります。

7　考課項目等の公開

　人事考課制度は、各種の人事制度の中でも秘密性の高い制度です。人事考課を定期的に実施していること自体を社員に公開していない会社も少なくありりません。ましてや、考課項目や考課の区分を社員に知らせている会社は少ないといえます。

　このような秘密性・非公開性が人事考課に対する不平不満の根底にあるといえるでしょう。

　人事考課制度のうち、社員に対して公開しても差し支えのないことは公開し、考課制度に対する信頼性・納得性を高める必要があります。

　例えば、考課項目と項目ごとの定義または着眼点は、社員にオープンにしても、考課制度の運用に何の支障も与えないはずです。むしろ、公開することによって、社員の日常の勤務態度や働き方の参考となるはずです。

図表4－5　社員に公開すべき事項

```
1   人事考課制度の目的
2   人事考課の実施時期
3   人事考課の項目および項目ごとの定義または着眼点
4   評価の方法（絶対考課か、相対考課か）
5   評価の区分（3区分方式、5区分方式、7区分方式、その他）
6   被考課者と考課者との関係
7   考課結果の調整の有無
8   考課者研修実施の有無
9   その他
```

8　目標管理制度の実施

(1) 業務目標と考課

　社員は誰もが一定の期間において、一定量以上の仕事をすることが求められています。例えば、自動車の販売を行う営業社員は、「1ヶ月〇台以上、6ヶ月〇台以上販売する」というように目標が設定されています。建設や物流のように反復的要素の多い業務についても、情報システムの企画・設計、商品のデザイン、あるいは技術開発のように高度の専門知識を必要とする知的業務についても、個人ごとに、あるいはグループ単位で、業務目標が設定されています。

　多くの会社が、業務の効率化・合理化を図るために、目標管理制度を実施しています。

　あらかじめ社員一人ひとりについて、半期または年間の業務目標が設定されていて、その目標をどの程度達成したかという観点から人事考課を行えば、考課についての不満は減少するはずです。一定期間が

経過すれば、業務の達成度が明白になるからです。

　目標管理制度を業務の内容と規模に応じて適正に実施することにより、人事考課の納得性が確実に向上・改善されます。

(2) 業務目標制度の運用ポイント

① 業務目標の設定

　社員に対して、次の事項を踏まえて半期または年間の業務目標を設定し、これを会社に提出するように求めます。

・所属部門の業務計画
・部門における自分の地位と役割
・前年同期または前年の自己の業務実績
・その他

　役職者は、社員から提出された目標が部門の業務目標等から見て適切であるかをチェックします。適切でないと判断されるときは、修正を求めます。

② 確定面談

　役職者は、部下一人ひとりと面談し、目標を双方で確認したうえで、その目標の達成のために計画的に取り組むように指示します。

③ 指導監督

　目標は、順調に達成されるのが理想です。しかし、現実には、計画よりも遅れたり、行き詰まったりすることがあります。

　役職者は、部下の業務目標の達成状況をチェックし、必要に応じて必要な指導監督を行います。

④ 総括面談（目標達成度評価面談）

　期間が経過したときは、役職者は部下と面談し、目標の達成度を確

認します。

　業務目標を100％以上達成した部下に対しては、その労をねぎらい、さらなる成長と努力を求めます。

　目標を達成することができなかった部下とは、「どうして達成できなかったか」「どこに問題があったか」を話し合います。

（様式２）目標管理シート

所属長殿

　　　　　　　　　　　　　　　　　　　　　　（氏名）〇〇〇〇

　　　　　　　　目標管理シート（〇〇年度上期・下期）

1　今期の目標

テーマ（何を）	達成基準（どこまで）	手段・方法（どのようにして）	備考
1			
2			
3			
4			

（注）部門の業務計画を踏まえて目標を設定すること。

2　目標達成度の自己評価（期間経過後に記載）

テーマ	達成状況	達成・未達成の要因	備考
1			
2			
3			
4			

3　面談月日

目標設定面談	目標達成度評価面談
〇月〇日	〇月〇日

　　　　　　　　　　　　　　　　　　　　　　　　　　　　以上

9 自己評価制度の実施

(1) 自己評価制度の趣旨

① 自分の勤務態度と勤務成績

　賞与の支給額決定のための人事考課は、一般に、勤務態度と勤務成績について行われています。勤務成績だけを評価し、勤務態度は特に評価しない会社もありますが、勤務態度も評価の対象とするのが合理的であるといわれます。

　社員は、普段、自分の勤務態度や勤務成績を冷静・客観的に顧みることがありません。また、一般的に、
・自分の勤務態度に特に問題はない。上司から指示された業務に積極的・意欲的に取り組んでいる
・仕事は正確、かつ迅速である
・職場における自分の地位や勤続年数にふさわしい仕事をしていると、自分の勤務態度や勤務成績をやや過大に評価しがちです。

② 自己評価の目的と効果

　他人の眼から見ると、規律性、協調性、あるいは積極性に多少欠けるところがあっても、それを意識しない傾向があります。

　また、仕事の質や量が、会社の期待水準を下回っていても、それを素直に認めない傾向があります。

　このような事情から、人事考課の結果に対する不満が発生するといわれます。

　自己評価制度は、役職者による考課に先立って、会社が使用する人事考課表と同じもの、またはほぼ同じものを使用して、社員自身に、自分の日常の勤務態度と勤務成績を評価させるという制度です。

自己評価は、自己の勤務態度と勤務成績を冷静に直視し、今後の行動と業務に役立てることを目的として行われるものです。人事考課の納得性を高めるという効果もあります。このため、多くの会社が実施しているといわれます。

図表4－6　自己評価制度の効果

①　勤務態度を見直す機会を与える。改善の機会を与える
②　仕事の成果（質・量）を見直す機会を与える
③　仕事の能率の向上、質のレベルアップの動機づけとさせる
④　人事考課の納得性の向上、不満の緩和・解消
⑤　上司と部下とのコミュニケーションの活発化

(2)　自己評価制度の実施内容

①　対象者の範囲

　人事考課の対象者全員を対象として実施するのが現実的です。

②　実施時期

　実施時期は、人事考課の実施時期に合わせるのが合理的です、
　夏季賞与と年末賞与の双方について人事考課を行っている会社では、夏季と年末に自己評価を行います。
　夏季賞与についてのみ、考課を行っているところでは、夏季にのみ自己評価を行います。年末賞与についてのみ考課を行っている会社は、年末にのみ実施します。

③　自己表の実施方法

　自己評価は、人事考課表と同一の自己評価表を社員一人ひとりに配布し、それに記載させるという方法で行うのが簡便です。

④　上司との面談

　自己評価を行った後、上司との面談の場を設けるのがよいでしょう。

　役職者は、部下の自己評価が適正であると判断されるときは、その旨を伝え、さらにいっそう仕事の質の向上と量の増大に取り組むように求めます。

　自己評価が甘いと判断されるときは、どこがどのように甘いかを指摘し、改善を求めます。ただ単に「自己評価が甘い」といって突き放すのではなく、改善すべき点をできる限り具体的にアドバイスすることが必要です。

（様式３）一般社員の自己評価表

自己評価表（一般社員）

（氏名）○○○○

評価対象期間	○○年○月○日～○○年○月○日

～対象期間中の勤務態度および勤務成績を次の５段階で評価して下さい～

（評価区分）
S＝きわめて優れていた
A＝優れていた
B＝普通
C＝やや劣っていた
D＝劣っていた

評価項目	着眼点	評価
１　勤務態度		
規律性	・就業規則などの規則・規程をよく守ったか ・仕事において、上司の指示命令をよく守ったか	S A B C D 10 8 6 4 2
協調性	・上司・同僚との人間関係に気を配って仕事をしたか ・職場の和を重視して仕事をしたか	S A B C D 10 8 6 4 2

積極性	・与えられた仕事に前向きの姿勢で取り組んだか ・仕事の進め方の改善、能力の向上に努めたか ・仕事の内容に不平不満をいうことはなかったか	S　A　B　C　D 15　12　9　6　3
責任性	・与えられた仕事を最後まできちんとやり終えたか ・仕事への責任感・使命感があったか	S　A　B　C　D 15　12　9　6　3
2　勤務成績		
仕事の量	・能力や経験年数にふさわしい量の仕事をしたか ・与えられた仕事を迅速に遂行したか	S　A　B　C　D 25　20　15　10　5
仕事の質	・与えられた仕事を正確に処理したか ・仕事において、ミスや不手際を起こすことはなかったか	S　A　B　C　D 25　20　15　10　5
	合計点（100点満点）	点

以上

（様式４）役職者の自己評価表

自己評価表（役職者）

（氏名）○○○○

| 評価対象期間 | ○○年○月○日～○○年○月○日 |

～対象期間中の勤務態度および勤務成績を次の５段階で評価して下さい～

（評価区分）
S ＝きわめて優れていた
A ＝優れていた
B ＝普通
C ＝やや劣っていた
D ＝劣っていた

評価項目	着眼点	評価
１　勤務態度		
積極性	・部門の業務目標達成のために部下の先頭に立って仕事をしたか。取り組んだか ・部門の仕事の改善、生産性の向上に取り組んだか	S A B C D 5 4 3 2 1
責任性	・役職者としての役割と責任を意識して行動したか ・仕事への責任感・使命感があったか	S A B C D 5 4 3 2 1
経営認識	・会社の経営方針・経営理念を正しく理解して行動したか ・担当部門の利害得失にこだわることなく、広い立場、高い視点に立って、ものごとを判断したか	S A B C D 5 4 3 2 1
コスト意識	・常にコスト意識を持って仕事に取り組んだか ・日頃からコストの削減とムダの排除に努めたか	S A B C D 5 4 3 2 1
２　勤務成績		

業務目標の達成度	・部下を適切に指揮命令して、担当部門の業務目標を達成することができたか ・担当部門の生産性の向上において、一定の成果があったか	S　A　B　C　D 60　48　36　24　12
部門業務の質	・担当部門の業務内容は、正確で質的に優れていたか ・担当部門において、仕事のミスや不手際はなかったか	S　A　B　C　D 20　16　12　8　4
	合計点（100点満点）	点

以上

10 考課者研修の実施

社員の勤労意欲の向上と定着率の改善の条件は、労働条件の改善と公正な処遇です。能力と業績に応じた公正な処遇を行うためには、公正な人事考課が必要不可欠です。

人事考課は、人（役職者）が人（部下）を評価するという性格から、考課される側において、不平不満、あるいは不安が付きまといます。会社は、人事考課の納得性の向上のために絶えず努力をすることが望まれます。

人事考課の納得性を高める対策の中で最も有効なものは、考課者（役職者）の考課能力の向上です。役職者が考課能力を向上させ、日常の部下の指導と観察を踏まえて公正・公平な考課に当たれば、不平不満や不安は相当程度解消されるはずです。

このため、役職者を対象とした考課者研修の充実に努めるべきです。人事考課を行う役職に昇格した時点において考課研修を行うとともに、その後も数年に一度の頻度で研修を実施するべきです。

図表４－７　考課者研修の内容

1　人事考課の目的
2　考課の対象分野（賞与のための考課の場合は、勤務態度、勤務成績）
3　考課項目とその定義または着眼点
4　考課の基準（絶対評価、相対評価）
5　考課の区分
6　考課者の心得
7　考課者が陥りやすい問題点とその対策
8　その他

第5章

部門業績係数の決め方

1 部門業績係数と部門評価の指標

(1) 部門業績と賞与

　複数の事業部門（店舗、営業所、支店、事業部等）を構えている会社の場合、経営者としては、すべての部門の業績が良好であることが望ましいといえます。しかし、現実には、部門によって業績に差が生じます。優れた業績を上げる部門が出る一方で、業績が良くない部門も出ます。

　部門業績係数は、部門による業績の善し悪しを賞与の支給額に反映する目的で使用されるものです（図表5－1）。

図表5－1　部門業績を反映させる賞与の算定式

> ① 基礎給（基本給または基準内給与）×平均支給月数×部門業績係数×出勤率
> ② 基礎給（基本給または基準内給与）×平均支給月数×部門業績係数×出勤率＋人事考課分
> ③ 基礎給（基本給または基準内給与）×平均支給月数×部門業績係数×出勤率×人事考課係数

(2) 部門評価の指標

部門業績係数は、賞与の支給額決定に使用されるものですから、部門で働く社員にとって分かりやすく、納得性のあるものでなければなりません。

部門業績係数の算定基礎となる業績指標としては、一般的に、
- 部門の売上高、粗利益、営業利益
- 部門1人当たり売上高、粗利益、営業利益
- 部門の売上高、粗利益、営業利益の目標達成率
- 部門の売上高、粗利益、営業利益の増加率

などが使用されます（図表5－2）。

図表5－2　部門業績指標と算定基準

業績指標	算定基準
部門の売上高	
部門の粗利益	
部門の営業利益	
部門1人当たり売上高	部門売上高／部門所属社員数
部門1人当たり粗利益	部門粗利益／部門所属社員数
部門1人当たり営業利益	部門営業利益／部門所属社員数
部門売上高目標達成率	部門売上高実績／部門売上高目標額
部門粗利益目標達成率	部門粗利益実績／部門粗利益目標額
部門営業利益目標達成率	部門営業利益実績／部門営業利益目標額
部門売上高増加率	部門売上高／部門前年同期売上高
部門粗利益増加率	部門粗利益／部門前年同期粗利益
部門営業利益増加率	部門営業利益／部門前年同期営業利益

2　部門業績係数の決め方

(1)　部門業績係数の決定

業績係数の決め方には、
・全社員一律に決める
・役職の有無別に決める
の2つがあります（図表5－3）。

図表5－3　業績係数の決め方（その1）

全社員一律に決める	所属部門1人当たり売上高の区分に応じて、次の係数 ○○万円～　　　　　　業績係数1.1 ○○～○○万円　　　　業績係数1.0 ～○○万円　　　　　　業績係数0.9
役職の有無別に決める	（例1） 所属部門の粗利益目標達成率に応じて、次の係数 （役職者） 達成率120％～　　　　　業績係数1.1 達成率100～119％　　　業績係数1.0 達成率99％以下　　　　業績係数0.9 （社員） 達成率120％～　　　　　業績係数1.05 達成率100～119％　　　業績係数1.0 達成率99％以下　　　　業績係数0.95
	（例2） 所属部門の粗利益の区分に応じて、次の係数 （役職者）

	粗利益〇〇万円〜	業績係数1.1
	粗利益〇〇〜〇〇万円	業績係数1.0
	粗利益〇〇万円以下	業績係数0.9
	（社員）	
	粗利益〇〇万円〜	業績係数1.05
	粗利益〇〇〜〇〇万円	業績係数1.0
	粗利益〇〇万円以下	業績係数0.95

(2) 部門の規模・立地条件への配慮

　部門によって、社員数が異なります。多くの社員が配置されている部門もあれば、少数の部門もあります。

　立地条件も、部門によって異なるのが一般的です。大都市で営業している部門もあれば、人口がそれほど多くない地方都市で営業している部門もあります。

　業績係数の決め方には、

　・規模や立地条件などにかかわりなく、全部門一律に決める

　・部門の規模別に決める

　・部門の立地条件別に決める

　・部門所在の都市規模別に決める

などがあります（図表5－4）。

図表5-4　部門別業績係数の決め方（その2）

係数の決め方	例
全店舗一律に決める	所属社員1人当たりの売上高に応じて、次の係数 ○○万円〜　　　　業績係数1.05 ○○〜○○万円　　業績係数1.0 ○○〜○○万円　　業績係数0.95
部門の規模別に決める	部門の売上高に応じて、次の係数 （社員数10人以上の店舗） ○○万円〜　　　　業績係数1.05 ○○〜○○万円　　業績係数1.0 ○○〜○○万円　　業績係数0.95 （社員数9人以下の店舗） ○○万円〜　　　　業績係数1.05 ○○〜○○万円　　業績係数1.0 ○○〜○○万円　　業績係数0.95
部門の立地条件別に決める	部門の売上高に応じて、次の係数 （繁華街に立地する店舗） ○○万円〜　　　　業績係数1.05 ○○〜○○万円　　業績係数1.0 ○○〜○○万円　　業績係数0.95 （繁華街以外の店舗） ○○万円〜　　　　業績係数1.05 ○○〜○○万円　　業績係数1.0 ○○〜○○万円　　業績係数0.95
部門所在の都市規模別に決める	部門の売上高に応じて、次の係数 （人口30万人以上の店舗） ○○万円〜　　　　業績係数1.05 ○○〜○○万円　　業績係数1.0 ○○〜○○万円　　業績係数0.95 （人口30万人未満の店舗） ○○万円〜　　　　業績係数1.05 ○○〜○○万円　　業績係数1.0 ○○〜○○万円　　業績係数0.95

(3) 業績区分・ランキング別に決める方式

技術的な観点からすると、部門業績係数には、
- 業績（売上高、粗利益、営業利益等）の区分に応じて決める「区分方式」
- 業績のランキングをもとに決める「ランキング方式」

の2つの決め方があります。

区分方式は、業績指標をいくつかに区分し、その区分ごとに業績係数を決めるというものです。

これに対して、ランキング方式は、業績の結果を踏まえて全ての部門をランキングし、上位、中位および下位に区分して、業績係数を決めるというものです（図表5-5）。

図表5-5　業績係数の決め方（その3）

	例
区分方式	（例1） 所属部門の売上高の区分に応じて、次の係数 〇〇万円〜　　　業績係数1.1 〇〇〜〇〇万円　業績係数1.0 〜〇〇万円　　　業績係数0.9 （例2） 所属部門1人当たり売上高の区分に応じて、次の係数 〇〇万円〜　　　業績係数1.1 〇〇〜〇〇万円　業績係数1.0 〜〇〇万円　　　業績係数0.9 （例3） 所属部門の売上高目標の達成率の区分に応じて、次の係数 達成率120％〜　　業績係数1.05 達成率100〜119％　業績係数1.0 達成率99％以下　　業績係数0.95

ランキング方式	(例1) 売上高のランキングに応じて、次の係数 　上位5店舗　　　　業績係数1.1 　下位5店舗　　　　業績係数0.9 　それ以外の店舗　　業績係数1.0 (例2) 1人当たり売上高のランキングに応じて、次の係数 　上位5店舗　　　　業績係数1.1 　下位5店舗　　　　業績係数0.9 　それ以外の店舗　　業績係数1.0

　区分方式を採用すると、全ての部門が好成績を収めたときは、すべての部門に最高の業績係数が適用されるので、賞与の総支給額が膨らみ、結果的に支給原資をオーバーするという事態が生じます。

　各人の支給額の総和を予算の枠の中に収めるためには、ランキング方式を採用するのがよいでしょう。

(4)　評価の区分数

　部門評価の区分については、
・2区分で行う
・3区分で行う
・4区分で行う
などがあります。

　区分の数を多くすればするほどよいというわけではありません。あまり多くすると、業績係数の区分間の差が小さくなり、「部門の業績を賞与の支給額に反映させる」という制度本来の目的を達成できなくなります。

　2～4の区分で決めるのが妥当でしょう。

3 業績係数の格差

　部門業績係数は、部門ごとの業績を賞与の支給額に反映させる目的で使用されるものです。したがって、「係数の格差を拡大し、店舗の売上意欲を高めるのがよい」という意見があります。

　しかし、そのような意見は適切ではありません。社員には、所属部門を選択する権利が与えられていないからです。

　一般に、小売業やサービス業など、不特定多数の消費者を相手とする業種の場合は、大都市や繁華街に立地する店舗の方がそれ以外の店舗よりも営業成績がよいという傾向があります。したがって、業績係数の格差を大きくすると、大都市や繁華街に立地する店舗に勤務する社員の方がそれ以外の店舗に勤務する者よりも常に多くの賞与を支給されるということになり、公平ではありません。

　業績係数の格差は、一般社員の場合はプラス・マイナス10％程度以内、役職者の場合はプラス・マイナス20％程度以内に収めるのが妥当でしょう（図表5－6）。

図表5－6　業績係数の適正値

	優	普通	劣	上下の格差
一般社員	1.05	1.0	0.95	10％
役職者	1.1	1.0	0.9	20％

参考　部門業績係数算定基準

(1) 業績の区分に応じて決める方式

部門業績係数算定基準

1　部門業績係数算定の目的
　夏季賞与および年末賞与の支給額決定に使用すること

2　業績の指標
　各店舗の社員1人当たりの売上高

3　業績の算定期間
　夏季賞与　　前年11月1日～当年4月30日
　年末賞与　　5月1日～10月31日

4　業績係数
　算定期間における店舗所属社員1人当たりの売上高に応じて、次の数値とする。

	○○万円以上	○○万円～○○万円	○○万円以下
一般社員	1.05	1.0	0.95
役職者	1.1	1.0	0.9

5　その他
　(1)　売上高は、代金回収済みのものに限るものとする。
　(2)　社員数は、算定期間を平均して算定し、非正規社員は含まないものとする。

(3) 各店舗の業績と業績係数が確定したときは、これを公表する。

以上

(様式1) 各店舗の業績と業績係数の発表

```
                                           ○○年○○月○○日
社員各位
                                           ○○株式会社
          各店舗の業績と業績係数について（お知らせ）
                   （○○年○○月～○○年○○月）
```

店名	売上高	社員数	社員1人当たり売上高	業績係数	備考

以上

(2) 業績のランキングに応じて決める方式

部門業績係数算定基準

1 部門業績係数算定の目的
　夏季賞与および年末賞与の支給額決定に使用すること

2 業績の指標
　各店舗の粗利益目標達成率

3 業績の算定期間
　夏季賞与　　前年11月1日～当年4月30日
　年末賞与　　5月1日～10月31日

4 業績係数
　算定期間における粗利益目標達成率のランキングに応じて、次の数値とする。

	上位5店舗	下位5店舗	それ以外の店舗
一般社員	1.05	0.95	1.0
役職者	1.1	0.9	1.0

5 その他
　(1) 各店舗の粗利益目標達成率は、確定次第公表する。
　(2) 業績係数は、昇給については使用しないものとする。

以上

（様式２）各店舗の業績と業績係数の発表

〇〇年〇〇月〇〇日

社員各位

〇〇株式会社

各店舗の業績と業績係数について（お知らせ）
（〇〇年〇〇月～〇〇年〇〇月）

順位	店名	当期粗利益目標	当期粗利益実績	目標達成率	業績係数	備考
1						
2						
3						
4						
5						
6						
7						
8						
9						
10						
11						
12						
13						
14						
15						

以上

第6章 業績連動型の賞与制度

1 業績連動型賞与制度の趣旨

(1) 業績連動型の賞与制度とは

　賞与の支給原資については、前年の支給実績、業績の現状と見通し、労働組合の要求、同業他社の動向などを総合的に判断して決定している会社が多いのが現状です。

　支給原資をどのような基準で決定するかは、もとより各社の自由です。しかし、賞与は、「労働の対価」である月次給与とは異なり、本来的に「業績の還元」「成果の配分」という性格を持つものです。したがって、賞与の支給原資は、本来的に業績と連動させて決定すべきでしょう。業績が多くあがったときは支給原資を多くし、利益があまりあがらなかったときは少なくするのが、本来的な姿でしょう。

　月次給与は、「労働の対価」ですから、「業績が良くないから」とか「経営が苦しいから」という理由で支払いを停止することは許されません。給与の支払停止は、労働基準法違反です。

　しかし、賞与の場合は、月次給与とは別に支給されるものですから、「業績が良くないから」「経営が苦しいから」という理由で、支給金額

を減らしたり、あるいは支給そのものを停止しても、特に問題はありません。

賞与の支給原資の一部または全部を、部門または会社全体の業績と連動させて決定する制度を「賞与支給原資の業績連動制」または「業績連動型賞与制度」といいます。

(2) 業績連動型賞与制度のメリット

この制度は、支給原資の硬直化・固定化の防止、社員の経営参加意識の向上など、さまざまなメリットがあります。

しかし、その反面において、問題点もあります。例えば、業績が確定すると、自動的・機械的に賞与の支給総額が確定するので、経営の裁量権がそれだけ失われます。経営者としては、現在の業績が良好であっても、「将来に備えて、賞与の支給額を抑制し、内部蓄積を充実させよう」という判断が働くこともあります。しかし、業績連動型のもとでは、そのような判断を実現させることは大きく制約されます（図表6－1）。

図表6－1　業績連動型賞与制度のメリットと問題点

メリット	問題点
○賞与の支給を成果主義型のものとし、社員のインセンティブの向上を図れる ○社員の経営参加意識を高めることができる ○賞与支給原資の変動費化を図れる。支給原資の硬直化・固定化を防止できる ○支給原資の合理化により経営基盤を強化できる ○賞与支給についての労使交渉の手間を省ける	●業績によって支給額が左右されるので、社員に不安を与える ●経営の裁量権が制約される

2　対象社員の範囲

　業績連動型賞与制度については、
・すべての社員を対象として行う
・管理職のみを対象として行う
・総合職に限定して実施する
などがあります。

　業績連動型賞与制度の大きな目的は、賞与の支給原資（支給総額）を業績に連動させて決めることにより、人件費負担の変動費化を図ることです。賞与の支給総額が固定化するのを防ぐことです。

　このような目的を達成するためには、できる限り多くの社員を対象として実施するのが望ましいといえます。

　管理職は、社長・役員を補佐して業績を向上させる役割と責任を負っています。そうしたことの代償として、一般社員よりも高い給与が支払われるとともに、役付手当（管理職手当）が支給されています。

　そのような事情を考えると、管理職のみを業績連動型賞与制度の対象とすることに一定の合理性があります。しかし、管理職に限定したのでは、「人件費の変動費化」という目的を達成するには、おのずから一定の限界があります。

　業績連動型賞与制度は、管理職（役職者）だけに限定するのではなく、すべての社員に適用するのがよいでしょう。

　実際、この制度を実施している会社の大多数が「すべての社員を対象としている」としています。

3 業績指標（準拠指標）

(1) 業績指標の種類

　業績連動型賞与制度は、「業績に応じて賞与の支給総額を決める」というものです。このため、支給総額算定の基礎となる「業績指標」を決めることが必要となります。

　業績指標（準拠指標）としては、主として、
- 営業活動の成果に着目したもの
- 会計上の利益に着目したもの（売上総利益、営業利益、経常利益、その他）
- キャッシュフローに着目したもの（キャッシュフロー）
- 株主価値に着目したもの（EVA、ROA、ROE、その他）

などがあります（図表6－2）。

　業績指標は、経営方針を踏まえて決定すべきですが、「一般の社員にとって分かりやすいもの」を選択することが重要です。なぜならば、賞与の支給額は、社員にとってきわめて関心が高いからです。一般の社員にとって分かりにくいもの、計算方式が複雑なものは、業績指標としてはあまり適当ではありません。

図表6－2　業績指標

営業活動の成果に着目したもの	売上高、受注高
会計上の利益に着目したもの	売上総利益、営業利益、経常利益、税引後利益、その他
キャッシュフローに着目したもの	キャッシュフロー
株主価値に着目したもの	EVA、ROA、ROE、その他

(2) 一般的な業績指標

業績指標のうち、営業利益は、
・本業での利益を的確に示す指標である
・社員の成果が直接反映されるものである
・社員にとって分かりやすく納得性がある
などのメリットがあります。

また、経常利益は、
・業績指標として広く採用されている
・社員にとって分かりやすく納得性がある
などのメリットがあります。

このため、一般的には、営業利益または経常利益が採用されています（図表6－3）。

図表6－3　各指標のメリットと問題点

	メリット	問題点
売上高	・代表的な業績指標である。 ・社員の日々の労働成果が直接反映される。 ・社員に分かりやすく納得性がある。	・売上が多くても利益が出ないケースがある。
受注高	・代表的な業績指標である。 ・社員の日々の労働成果が直接反映される。 ・社員に分かりやすく納得性がある。	・受注が多くても利益が出ないケースがある。 ・受注から納入または販売までに相当の間隔が生じることがある。

売上総利益	・本業での利益を的確に示す指標である。 ・社員の成果が直接反映されるものである。 ・社員にとって分かりやすく納得性がある。	・本業以外で損失が出て支払能力に問題が生じることがある。
営業利益	・本業での利益を的確に示す指標である。 ・社員の日々の労働成果が直接反映されるものである。 ・社員にとって分かりやすく納得性がある。	・本業以外で損失が出て支払能力に問題が生じることがある。
経常利益	・業績指標として広く採用されている。 ・社員にとって分かりやすく納得性がある。	・本業以外での利益を経常利益に計上することがある。
当期利益	・業績指標として広く採用されている。 ・社員にとって分かりやすく納得性がある。	・本業以外での利益を当期利益に計上することがある。
キャッシュフロー	・会社の現金の創出能力を示すもので、合理性がある。	・社員にとって分かりにくい。 ・日々の労働では実感できない。
EVA	・投資家の立場から会社の収益力を評価したもので、合理性がある。	・業績指標として社会的に定着しているとは認めがたい。 ・計算が複雑で、社員にとって分かりにくい。 ・投資家の立場に立った指標であるため、社員の理解と納得を得にくい。

ROA	・投資家の立場から会社の収益力を評価したもので、合理性がある。	・業績指標として社会的に定着しているとは認めがたい。 ・計算が複雑で、社員にとって分かりにくい。 ・投資家の立場に立った指標であるため、社員の理解と納得を得にくい。
ROE	・投資家の立場から会社の収益力を評価したもので、合理性がある。	・業績指標として社会的に定着しているとは認めがたい。 ・計算が複雑で、社員にとって分かりにくい。 ・投資家の立場に立った指標であるため、社員の理解と納得を得にくい。
付加価値	・会社の生産・販売活動を通じて創出された価値を示すもので、合理性がある。	・社員にとって分かりにくい ・社会的に定着しているとは認めがたい。 ・日々の労働では実感しにくいため、社員の理解と納得を得にくい。

4　業績の算定期間と支給時期

業績の算定期間と支給時期を具体的に定めます。
実務的には、
・夏季賞与、年末賞与とも、支給時期の直前6ヶ月の業績に応じて、支給総額を算定する
・夏季は、暫定的に一定額を支給し、年末賞与の支給日の直前1年間の業績に応じて、年間賞与の支給総額を算定し、清算する
・前年度の業績に応じて支給総額を算定し、夏季と年末に支給する

などの取扱いが考えられます（図表6－4）。

賞与については、年2回、夏季と年末に支給するというのが広く定着しています。また、業績の算定期間と支給日とは、できる限り近接していることが望ましいといえます。

このため、「夏季賞与、年末賞与とも、支給時期の直前6ヶ月の業績に応じて、支給総額を算定する」という方式を採用している会社が圧倒的に多いのが現状です。

これは、例えば、夏季賞与については、前年10月1日～当年3月31日の業績に基づいて、支給総額を算定し、年末賞与については、4月1日～9月30日の業績に基づいて、支給総額を算定するというものです。

図表6－4　業績の算定期間と支給時期

業績の算定期間と支給時期	例
1　夏季賞与、年末賞与とも、支給時期の直前6ヶ月の業績に応じて、支給総額を算定する。	（夏季賞与） 前年10月1日～当年3月31日の業績に基づいて、支給総額を算定する。 （年末賞与） 4月1日～9月30日の業績に基づいて、支給総額を算定する。
2　年末賞与の支給日の直前1年間の業績に応じて、年間賞与の支給総額を算定する。	夏季は、一定額を暫定的に支給し、年度が終了した時点で総額を算定し、年末賞与で清算する。 例えば、決算年度を前年10～当年9月とした場合、次のようにする。 （夏季賞与）2ヶ月分を暫定払い （年末賞与）年度の営業利益×20％－既払い分
3　前年度の業績に応じて支給総額を算定し、夏季と年末に支給する	前年度の業績に基づき、支給総額を算定し、これを次のように配分し、支給する。

	(夏季賞与）総額の40％ （年末賞与）総額の60％ 例えば、2021年度の業績に基づき、賞与支給総額が1億円と算定されたとする。この場合は、次のように取り扱う。 （2022年の夏季賞与の支給総額） 1億円×40％＝4,000万円 （2022年の年末賞与の支給総額） 1億円×60％＝6,000万円

5 最低保障と上限の設定

(1) 最低保障の設定

　業績連動型賞与制度は、業績に連動させて賞与の支給原資を決めるというものです。業績が良好であったときは、支給原資が多くなりますが、その反対に、業績が良くないときは、支給額が減少します。まったく賞与の原資を捻出できないこともあり得ます。

　社員の中には、「業績に応じて賞与の支給額が決まる」ということに、不安を感じる者が少なくありません。「業績が良くないときに賞与がまったく支給されないと、安定した生活ができなくなる」という不安を感じます。

　これまでは、業績が多少悪くても、一定額の賞与が支給され、社員の生活を支えてきました。現在でも、業績があまり良くないにもかかわらず、社員の生活への配慮や、労使の信頼関係の維持という観点から一定額の賞与を支給している会社が少なくありません。このため、「業績次第」という支給額決定の仕組みに対して、社員が不安を感じるのは当然のことかもしれません。

このような事情に配慮し、業績連動型賞与制度において「最低保障部分」を設けている会社がかなり多くあります。これは、「業績が良くない場合においても、一定月数の賞与の支給を保障する」というものです。

ある調査によると、業績連動型賞与制度を実施している会社の約60％が「最低保障部分を設けている」としています。

最低保障部分の設定は、社員に安心感を与えるというメリットがある半面、賞与支給原資の変動費化の効果を制約するという問題点もあります（図表6-5）。

図表6-5　最低保障部分設定のメリットと問題点

メリット	問題点
○社員に安心感を与える。 ○社員の生活の安定を図れる。	●業績が良くないときでも、賞与の支給負担があり、資金繰りがそれだけ苦しくなる。 ●賞与支給原資の変動費化の効果が制約される。 ●社員に「業績が良くなくても、賞与の支給を受けられる」という甘えの意識を植え付ける。

(2) 最低保障部分の設定方法

最低保障部分を設定する場合、その設定方法には、
- 一般社員、役職者とも、同一の月数を保障する
- 一般社員の保障月数と役職者の保障月数に差を設ける
- 役職者には保障部分は設けない

などがあります（図表6-6）。

図表6-6　最低保障部分の設定方法

一般社員と役職者と同じ取扱い	(例1) 一般社員・役職者とも、次の月数を保障する。 ・夏季賞与　1.5ヶ月 ・年末賞与　2ヶ月 (例2) 一般社員・役職者とも、次の月数を保障する。 ・夏季賞与　1ヶ月 ・年末賞与　1ヶ月
一般社員と役職者との取扱いが異なる	(例1) 次の月数を保障する。 (一般社員) ・夏季賞与　1.5ヶ月 ・年末賞与　2ヶ月 (役職者) ・夏季賞与　1ヶ月 ・年末賞与　1.5ヶ月 (例2) 一般社員には、次の月数を保障する。役職者には、保障部分はなし。 ・夏季賞与　1.5ヶ月 ・年末賞与　2ヶ月

(3) 上限の設定

　経営環境は、常に変化しています。会社に有利な形で変化することもあれば、不利になる形で変化することもあります。経営環境が変化すれば、それに伴って、受注や売上や利益率が変化し、業績に影響を与えます。

　前期までは業績が順調に推移していたのに、今期は赤字に転落するということもあります。その逆のケースもあります。

　安定した生活を送るためには、賞与の支給額は、あまり変動しない

方が望ましいといえます。そのような観点から、最低保障が行われているわけですが、その反対に、上限を設定している会社もあります。

上限は、最高支給月数を決めるという形で行われます。例えば、「支給月数は、業績に連動させて決めるが、その最高月数は、年間7ヶ月とする」というように決められます。

上限の設定の対象者については、
・一般社員と役職者の双方に設定する
・一般社員のみに設定する（役職者については、最低保障も行わず、上限も設定しない）
の2つがあります（図表6-7）。

上限設定と最低保障との関係をみると、
・最低保障月数と上限の双方を設定する
・最低保障月数のみを設定し、上限は設定しない
・最低保障月数は設定せず、上限のみ設定する
の3つがあります。

図表6-7　上限の設定

一般社員と役職者の双方に設定	（例1） 一般社員、役職者とも、半期4ヶ月 （例2） 一般社員、役職者とも、年間7ヶ月
一般社員のみに設定	（例1） 半期3ヶ月（役職者は除く） （例2） 一般社員　年間7ヶ月 役職者　　設定せず

6　支給原資の算定方式

(1)　算定方式の公開

　賞与の支給は、重要な労働条件です。金銭に係るものであるため、社員の関心もきわめて高い。

　業績連動型賞与制度を実施するときは、その算定方式を決め、これを社員に公開するのが望ましいといえます。算定方式を社員に公開すべき義務はありませんが、「賞与の支給原資は、業績と連動させて決める」と言明するだけで、具体的な算定方式を開示しないのは、社員との信頼関係の形成という観点から判断して問題です。

　算定方式は、社員に分かりやすいものであることが望ましいといえます。

(2)　算定方式

　支給原資の算定方式には、
　・定率で決める方式（定率法）
　・定額で決める方式（定額法）
　・定率と定額を併用して決める方式（定率・定額併用法）
の3つがあります（図表6-8）。

　「定率法」は、業績指標に一定率を掛けて支給原資（支給総額）を算定するというものです。

　例えば、「営業粗利益×5％」「営業利益×15％」「経常利益×20％」という形で支給原資を算定します。

　この定率法は、簡潔明瞭で、社員に分かりやすい。定率が適正であれば、社員の納得を得やすい。このため、広く採用されています。

　「定額法」は、業績の区分ごとに、定額で支給額を決めるというも

のです。

例えば、営業利益の額に応じて、支給月数を次のように決めます。

- 5千万～1億円のとき　　平均1.5ヶ月
- 1～2億円のとき　　　　平均2.0ヶ月
- 2～3億円のとき　　　　平均2.5ヶ月
- 3～4億円のとき　　　　平均3.0ヶ月
- 4億円以上のとき　　　　平均3.5ヶ月

図表6－8　賞与原資の算定方式

最低保障のないもの（完全業績連動制）	（例1） 半期営業利益×20％ （例2） 半期経常利益×30％ （例3） 年間賞与総原資＝前年度営業利益20％ （その40％を夏季賞与、60％を年末賞与とする） （例4） 算定期間の営業利益の目標達成率に応じて、次の月数 ・達成率60％以下　　支給せず ・達成率60～70％　　1.0ヶ月 ・達成率70～80％　　1.5ヶ月 ・達成率80～90％　　2.0ヶ月 ・達成率90～110％　　2.5ヶ月 ・達成率110～120％　　3.0ヶ月 ・達成率120％～　　　3.5ヶ月 （例5） 算定期間の営業利益の額に応じて、次の月数 ・5千万円以下　　支給せず ・5千万～1億　　1.5ヶ月 ・1～2億　　　　2.0ヶ月 ・2～3億　　　　2.5ヶ月 ・3～4億　　　　3.0ヶ月

	・4億以上　　　　　　3.5ヶ月 （例6） 夏季賞与、年末賞与とも、次の算式による。 ○基本給総額×2.5ヶ月×（売上計画達成率60％＋営業利益計画達成率40％） （注） 売上計画達成率＝売上実績／売上高計画 営業利益計画達成率＝営業利益実績／営業利益計画
最低保障のあるもの	（例1） 夏季賞与＝基準内給与総額2ヶ月＋算定期間の売上総利益×5％ 年末賞与＝基準内給与総額2.5ヶ月＋算定期間の売上総利益×5％ （例2） 夏季賞与＝基礎給2ヶ月＋算定期間の営業利益×10％ 年末賞与＝基礎給3ヶ月＋算定期間の営業利益×10％ （例3） ・夏季賞与は、次による。 基本給総額1.5ヶ月＋算定期間の経常利益×20％ ・年末賞与は、次による。 基本給総額2ヶ月＋算定期間の経常利益×20％ （例4） 年間賞与総原資＝本給5ヶ月＋前年度営業利益×10％ （その40％を夏季賞与、60％を年末賞与とする） （例5） 算定期間の営業利益の目標達成率に応じて、次の月数 ・達成率60％以下　　1.0ヶ月 ・達成率60〜70％　　1.5ヶ月 ・達成率70〜80％　　2.0ヶ月

・達成率80〜90%	2.5ヶ月
・達成率90〜110%	3.0ヶ月
・達成率110〜120%	3.5ヶ月
・達成率120%〜	4.0ヶ月
(例6)	
算定期間の営業利益の額に応じて、次の月数	
・5千万円以下	1.0ヶ月
・5千万〜1億	1.5ヶ月
・1〜2億	2.0ヶ月
・2〜3億	2.5ヶ月
・3〜4億	3.0ヶ月
・4億以上	3.5ヶ月
(例7)	
・夏季賞与は、次の算式による。	
社員数×30万円＋算定期間の営業利益×10%	
・年末賞与は、次の算式による。	
社員数×50万円＋算定期間の営業利益×10%	

7 部門業績連動型の賞与制度

(1) 事業部門への業績連動制の適用

　会社の中には、店舗、営業所、支店、あるいは事業部などの事業部門を設けているところがあります。このような会社の場合は、事業部門の社員の賞与支給額をその部門の業績と連動させて決定することが考えられます。

　例えば、5つの店舗を置いて商品を販売している小売業の場合、各店舗の賞与の支給総額を個別店舗の営業成績（売上、粗利益、営業利益等）と直接連動させて決定します。

　また、複数の製品を生産し、製品ごとに事業部制を採用している会

社の場合、各事業部の賞与の総額を個別事業部の営業成績と連動させて決定します。

事業部門への業績連動制の適用は、「独立採算制を徹底できる」などのメリットがあります。しかし、その反面、問題点もあります（図表6-9）。

図表6-9　部門型業績連動制のメリットと問題点

メリット	問題点
○部門の経営責任を明確にできる。 ○部門の独立採算制を徹底し、経営の合理化を図れる。	●部門の客観的で納得性のある評価指標の設定が難しい（特に、事業部門によって業種・業態が異なる場合）。 ●スタッフ部門（間接部門）は業績を測定しにくいので、その取扱いが難しい。 ●社員は勤務部門を選択できないので、不公平が生じる可能性がある。

(2) 実施上の留意点

部門型業績連動制は、全社型の業績連動制に比べて実務上難しい点があります。この制度を実施するときは、次の点に特に留意することが必要です。

① 評価指標の設定と同意

事業部門の形態は、会社によって異なります。

すべての部門が同一の業種（例えば、小売業）の場合には、部門の評価指標を比較的容易に設定することが可能ですが、部門によって業種が異なる場合には、評価指標の設定は容易ではありません。

例えば、最近は高齢化の進展を受けて、メーカーが介護サービスや

福祉サービスの分野に進出するケースが増えているといわれますが、商品の販売部門と介護サービスの部門とについて共通の評価基準を設定することは容易ではありません。商品の販売部門では売上や利益を業績指標として採用することができますが、介護サービスの分野では、売上や利益という指標は必ずしも適切とはいえません。

事業部門によって業種・業態が異なる会社の場合は、部門の評価基準を慎重に選択・決定すべきです。

部門の評価基準を決定したときは、「こういう基準で業績を評価する」旨を部門の責任者に伝え、その理解を求めます。

② スタッフ部門（間接部門）の取扱い

本社などのスタッフ部門は、その性格上、業績を測定することができません。したがって、業績連動制を適用することができません。このため、その取扱いについても、慎重な配慮が必要です。

スタッフ部門の取扱いについては、実務的に、
・事業部門の支給月数の平均値を適用する
・事業部門の支給月数の中位数を適用する
・会社全体の業績と連動させて決める
・事業部門の業績、会社全体の業績その他を総合的に判断して決める

などがあります（図表6-10）。

スタッフ部門が特に優遇されたり、あるいは特に冷遇されたりすることのないように配慮する必要があります。

図表6-10　スタッフ部門（間接部門）の取扱い

	例
事業部門の支給月数の平均値を適用する	部門の支給月数が次のようであったとする。 A店　2.5ヶ月 B店　3.0ヶ月 C店　3.5ヶ月 この場合は、平均の3ヶ月を支給する。
事業部門の支給月数の中位数を適用する	部門の支給月数が次のようであったとする。 A店　2.5ヶ月 B店　3.0ヶ月 C店　3.5ヶ月 D店　1.5ヶ月 E店　2.0ヶ月 この場合は、トップから3番目のA店の2.5ヶ月を支給する。
会社全体の業績と連動させて決める	（例1） スタッフ部門の支給総額＝営業利益×3％ （例2） スタッフ部門の支給総額＝営業粗利益×1％
事業部門の業績その他を総合的に判断して決める	次の事項を総合的に判断して支給総額を決める。 ・会社全体の営業利益 ・事業部門の営業利益 ・事業部門の賞与平均支給月数 ・その他

③　不公平感の緩和・除去

　部門の業績は、立地条件や取扱商品などによって大きく左右されます。

　一般に、大都市には会社や消費者が多く集中しているので、努力すれば業績を伸ばすことができます。これに対して、地方都市は、会社や消費者が少なく、マーケットの大きさが限られているので、売上や

利益を伸ばすことが容易ではありません。

　また、ブランドイメージが形成されている商品を取り扱う部門は、そうでない商品を販売する部門に比べると、業績を上げやすいでしょう。

　部門型の業績連動制の場合、部門によって業績に格差があり、その結果賞与の支給月数に大きな格差が生じる可能性があります。

　社員には、所属する部門を選択する権限は与えられていません。会社から命令された部門で勤務するしかありません。このため、部門によって支給月数に格差が生じるのは、社員の立場からすると、きわめて不公平で、納得し難いところがあります。

　不公平感をそのまま放置しておくのは好ましくありません。勤労意欲や定着率にマイナスの影響を与えるからです。会社としては、何らかの対策を講じるべきです。

　不公平感を取り除くための実効性のある対策を講じるのは、実務的に相当難しいのですが、一般的には、

・賞与の支給月数について、最低保障部分を設定する
・賞与の支給総額を算定する基準に差を設ける
・定期人事異動を行う

などが考えられます（図表6－11）。

図表6−11　不公平感を緩和・除去する方策

	例
賞与の支給月数について、最低保障部分を設定する	（例1） 部門の業績のいかんにかかわらず、夏季賞与については1.5ヶ月分、年末賞与については2ヶ月分を保障する。 （例2） 次の支給月数を保障する。 夏季賞与　1.8ヶ月 年末賞与　2.3ヶ月
賞与の支給総額を算定する基準に差を設ける	（例1） （大都市の支店） 賞与支給総額＝営業利益×25％ （それ以外の支店） 賞与支給総額＝営業利益×30％ （例2） （社員10人以上の店舗） 賞与支給総額＝売上×5％ （社員9人以下の店舗） 賞与支給総額＝売上×10％
定期人事異動を行う	（例1） 全社員を対象に3年ごとに人事異動を実施。 （例2） 同一部門への勤務が3年を超える者は、希望すれば他の部門に異動させる。

参考　業績連動型の賞与規程

(1) 会社全体の業績で支給総額を決め、最低保障のないもの

賞与規程

（総則）

第1条　この規程は、賞与の支給について定める。

（賞与の支給）

第2条　賞与は、年2回、夏季および年末に支給する。

（支給対象者）

第3条　賞与は、支給日に在籍する者に支給する。ただし、賞与算定期間における出勤日数が所定出勤日数の3分の2に満たない者には支給しない。

2　前項の規定にかかわらず、会社が適当と認めた者については、特別に支給することがある。

（支給日）

第4条　賞与の支給日は、その都度定める。

（算定期間）

第5条　賞与の算定期間は、次の区分による。

　　　　夏季賞与　　前年10月1日〜当年3月31日
　　　　年末賞与　　当年4月1日〜9月30日

（支給総額）

第6条　賞与の支給総額は、次の算式により算定する。

　　　　賞与支給総額＝算定期間中の営業利益×20％

2　次の場合には、賞与は支給しない。

(1) 営業利益を計上できないとき
(2) 営業利益を計上することができても、その額が僅少であるとき

(各人の支給額)
第7条　各人の賞与の支給額は、算定期間における各人の勤務成績（仕事の質、仕事の量）および勤務態度を評価して決定する。
2　各人の賞与の支給額の総和は、第6条に定める算定式で算定される総額を超えないものとする。

(欠勤・遅刻・早退の控除)
第8条　算定期間中に欠勤があるときは、欠勤1日につき、所定勤務日数分の1を控除する。
2　遅刻、早退および私用外出は、合計3回をもって欠勤1日とみなす。
3　欠勤等を年次有給休暇に振り替えることはできないものとする。

(法定控除)
第9条　賞与の支給に当たり、次のものを控除する。
　(1)　所得税
　(2)　社会保険料
　(3)　社員代表と協定したもの

(支払方法)
第10条　賞与は、各人が届け出た銀行口座に振り込むことによって支払う。

(付則)
この規程は、〇〇年〇〇月〇〇日から施行する。

(2) 会社全体の業績で支給総額を決め、最低保障のあるもの

賞与規程

（総則）

第1条　この規程は、賞与の支給について定める。

（賞与の支給）

第2条　賞与は、年2回、夏季および年末に支給する。

（支給対象者）

第3条　賞与は、支給日に在籍する者に支給する。ただし、賞与算定期間における出勤日数が所定出勤日数の3分の2に満たない者には支給しない。

2　前項の規定にかかわらず、会社が適当と認めた者については、特別に支給することがある。

（支給日）

第4条　賞与の支給日は、その都度定める。

（算定期間）

第5条　賞与の算定期間は、次の区分による。

　　　　夏季賞与　　前年10月1日～当年3月31日

　　　　年末賞与　　当年4月1日～9月30日

（支給総額）

第6条　賞与の支給総額は、次の算式により算定する。

　　　　賞与支給総額＝社員の賞与算定基礎給の総和×2.0＋算定期間中の営業利益×10％

2　賞与算定基礎給とは、次のものをいう。

　　　　賞与算定基礎給＝基本給＋営業手当＋役付手当＋その他職務に関連する手当

（各人の支給額）

第7条　各人の賞与の支給額は、算定期間における各人の勤務成績（仕事の質、仕事の量）および勤務態度を評価して決定する。

2　各人の賞与の支給額の総和は、第6条に定める算定式で算定される総額を超えないものとする。

（最低保障）

第8条　賞与の平均支給額は、夏季賞与および年末賞与とも、賞与算定基礎給（社員平均）の2ヶ月分を下回らないものとする。

（欠勤・遅刻・早退の控除）

第9条　算定期間中に欠勤があるときは、欠勤1日につき、所定勤務日数分の1を控除する。

2　遅刻、早退および私用外出は、合計3回をもって欠勤1日とみなす。

3　欠勤等を年次有給休暇に振り替えることはできないものとする。

（法定控除）

第10条　賞与の支給に当たり、次のものを控除する。

　(1)　所得税
　(2)　社会保険料
　(3)　社員代表と協定したもの

（支払方法）

第11条　賞与は、各人が届け出た銀行口座に振り込むことによって支払う。

（付則）

この規程は、〇〇年〇〇月〇〇日から施行する。

(3) 前年度の業績に応じて年間の支給総額を決めるもの

賞与規程

(総則)
第1条　この規程は、賞与の支給について定める。
(賞与の支給)
第2条　賞与は、年2回、夏季および年末に支給する。
(支給対象者)
第3条　賞与は、支給日に在籍する者に支給する。ただし、賞与算定期間における出勤日数が所定出勤日数の3分の2に満たない者には支給しない。
2　前項の規定にかかわらず、会社が適当と認めた者については、特別に支給することがある。
(支給日)
第4条　賞与の支給日は、その都度定める。
(算定期間)
第5条　賞与の算定期間は、次の区分による。
　　　　夏季賞与　　前年10月1日〜当年3月31日
　　　　年末賞与　　当年4月1日〜9月30日
(支給総額)
第6条　賞与の支給総額は、次の算式により算定する。
　　　　賞与支給総額＝前年度の営業利益×20％
2　次の場合には、賞与は支給しない。
　(1)　営業利益を計上できないとき
　(2)　営業利益を計上することができても、その額が僅少であるとき
3　夏季賞与の支給総額は、次のとおりとする。
　　夏季賞与支給総額＝年間支給総額×40％

4　年末賞与の支給総額は、次のとおりとする。

年末賞与支給総額＝年間支給総額×60％

（各人の支給額）

第7条　各人の賞与の支給額は、算定期間における各人の勤務成績（仕事の質、仕事の量）および勤務態度を評価して決定する。

2　各人の賞与の支給額の総和は、第6条に定める算定式で算定される総額を超えないものとする。

（欠勤・遅刻・早退の控除）

第8条　算定期間中に欠勤があるときは、欠勤1日につき、所定勤務日数分の1を控除する。

2　遅刻、早退および私用外出は、合計3回をもって欠勤1日とみなす。

3　欠勤等を年次有給休暇に振り替えることはできないものとする。

（法定控除）

第9条　賞与の支給に当たり、次のものを控除する。

(1)　所得税

(2)　社会保険料

(3)　社員代表と協定したもの

（支払方法）

第10条　賞与は、各人が届け出た銀行口座に振り込むことによって支払う。

（付則）

この規程は、〇〇年〇〇月〇〇日から施行する。

(4) 事業部門ごとに業績連動制を適用するもの

賞与規程

(総則)

第1条　この規程は、事業部所属社員の賞与の支給について定める。

2　事業部以外の部署に所属する社員の賞与については、別に定める。

(賞与の支給)

第2条　賞与は、事業部の業績に応じ、年2回、夏季および年末に支給する。

(支給対象者)

第3条　賞与は、各事業部ともに、支給日に在籍する者に支給する。ただし、賞与算定期間における出勤日数が所定出勤日数の3分の2に満たない者には支給しない。

2　前項の規定にかかわらず、会社が適当と認めた者については、特別に支給することがある。

(支給日)

第4条　賞与の支給日は、その都度事業部ごとに定める。

(算定期間)

第5条　賞与の算定期間は、各事業部ともに次の区分による。

　　　　夏季賞与　　前年10月1日～当年3月31日

　　　　年末賞与　　当年4月1日～9月30日

(支給総額)

第6条　賞与の支給総額は、事業部ごとに、次の算式により算定する。

　　　　賞与支給総額＝当該事業部の社員の賞与算定基礎給の総和×1.0＋算定期間中の営業利益×10％

2　前項において賞与算定基礎給とは、次のものをいう。

　　　　賞与算定基礎給＝基本給＋営業手当＋役付手当＋その他職務

に関連する手当

（各人の支給額）

第7条　各人の賞与の支給額は、各事業部ともに、算定期間における各人の勤務成績（仕事の質、仕事の量）および勤務態度を評価して決定する。

2　各人の賞与の支給額の総和は、各事業部ともに第6条に定める算定式で算定される総額を超えないものとする。

（異動社員の取扱い）

第8条　算定期間の途中で会社の命令で部門を異動した者は、勤務日数が長い事業部から賞与の支給を受けるものとする。

（最低保障）

第9条　賞与の支給額は、各事業部ともに、夏季賞与および年末賞与とも、各人の賞与算定基礎給の1ヶ月分を下回らないものとする。

（欠勤・遅刻・早退の控除）

第10条　算定期間中に欠勤があるときは、欠勤1日につき、所定勤務日数分の1を控除する。

2　遅刻、早退および私用外出は、合計3回をもって欠勤1日とみなす。

3　欠勤等を年次有給休暇に振り替えることはできないものとする。

（法定控除）

第11条　賞与の支給に当たり、次のものを控除する。

　(1)　所得税
　(2)　社会保険料
　(3)　社員代表と協定したもの

（支払方法）

第12条　賞与は、各人が届け出た銀行口座に振り込むことによって支払う。

（付則）

この規程は、○○年○○月○○日から施行する。

第7章

賞与に関する労使協定

1 賞与の支給対象者の労使協定

(1) 労使協定の趣旨

　賞与は、業績の還元として支給されるものです。労働の対価や生計費の保障として支給されるものではありません。

　賞与をどのような社員に対して支給するかは、それぞれの会社の自由です。

　会社としては、賞与の算定期間において業績（経営目標・経営計画の達成）に貢献した社員に対して、その貢献度に応じて支給するのが合理的です。

　一方、労働組合は、組合員の生活の安定と労働条件の向上を目的とする組織です。労働組合の立場からすると、一人でも多くの組合員に対して賞与が支給されるのが望ましいといえます。

　賞与の支給対象者の範囲を狭く限定したり、あるいはその支給条件を厳しくしたりすることは、組合にとっては好ましくないことです。

　そこで、労働組合は、会社が定める支給対象者の範囲が狭すぎると判断したときに、その見直しと拡大を要求してくることがあります。

(2) 労使協定の内容

① 算定期間の勤務期間

会社の業務・業績に貢献するには、算定期間において一定期間（一定日数）以上勤務することが必要です。このため、多くの会社は、支給の条件として、算定期間における勤務期間（または勤務日数）を定めています。例えば、

・算定期間の勤務日数が所定勤務日数の2分の1以上であること
・算定期間の勤務日数が100日以上であること

などです。

支給対象者の範囲を勤務期間・勤務日数の面から協定します。

② 退職者の取り扱い

算定期間には勤務していても、その後退職し、賞与の支給日には在籍していない者に対して賞与を支給するかしないかを協定するのがよいでしょう。

> **参考　賞与の支給対象者に関する労使協定**

〇〇年〇〇月〇〇日
〇〇株式会社取締役社長〇〇〇〇印
〇〇労働組合執行委員長〇〇〇〇印

賞与の支給対象者に関する労使協定

〇〇株式会社（以下、「会社」という。）と〇〇労働組合（以下、「組合」という。）は、賞与の支給対象者について、次のとおり協定する。

1　賞与の支給対象者

　賞与は、次の2つの条件を満たす者に支給する。

(1)　支給日に在籍していること

(2)　算定期間における勤務日数が所定勤務日数の2分の1以上であること

2　特別支給

　前項の定めにかかわらず、算定期間における勤務成績が特に優れていた者については、特別に支給する。

　本協定の有効期間は、○○年○○月○○日から1年とする。ただし、会社または組合が有効期間満了の2ヶ月前までに、相手方に対して異議を唱えないときは、さらに1年有効とし、以後も同様とする。

以上

2　支給額の最低保障の労使協定

(1)　労使協定の趣旨

①　経営環境と業績

　会社の業績は、経営者の努力や熱意にもかかわらず、外部の環境によって大きな影響を受けます。景気の動向その他の要因によって、売上や受注額が会社の予想や想定を超えて大きく変動することがあります。

　会社としては、業績の変化に対応して賞与の支給総額を変更するのが当然です。売上高や利益が減少しているにもかかわらず、業績が良好であった当時と同じ額の賞与を支給していたら、採算はさらに悪くなり、経営危機に追い込まれます。

②　賞与と社員の生活

　一方、賞与は、社員の生活と強く結び付いています。誰もが、夏季と年末に一定金額の賞与（ボーナス）が支給されることを前提として生活設計を立てています。賞与を子どもの教育費や住宅ローン・自動車ローンの支払に当てている社員も少なくありません。

　もしも「売上が落ち込んでいる」「受注額が計画を下回った」「営業利益が出ない」などの理由で賞与の支給額がこれまでよりも大幅に減少したり、あるいは賞与の支給がゼロになったりしたら、社員の生活は相当に苦しくなります。

　労働組合の目的は、組合員の生活を守ることです。このため、会社に対して、賞与の支給額の最低保障を求めます。業績が良くないときでも一定額の賞与を支給するよう要求します。

③ 保障額の決め方

保障額の決め方には、
- 定額を支給する
- 給与に比例して決める

の2つがあります。

図表7-1　定額保障の例

	例
全組合員一律方式	一律　30万円
年齢別方式	20代　20万円 30代　25万円 40代　30万円 50代以上　35万円
扶養家族別方式	単身者　20万円 1人の場合　25万円 2人の場合　30万円 3人以上の場合　35万円

図表7-2　給与比例方式の例

	例
基本給基準方式	基本給の2ヶ月分
所定内給与基準方式	所定内給与の1ヶ月分
月収基準方式	月収の1ヶ月分

（注）いずれも通勤手当は除く

④ 夏季賞与と年末賞与との取り扱い

保障額の決め方には、
- 夏季賞与、年末賞与とも同一とする
- 年末賞与の保障額を夏季賞与よりも多くする

の2つがあります。

　一般に、年末は、年末年始の食料の購入、新年の準備、各種の支払などのために夏季よりも支出が多くなります。このため、年末賞与の保障額を夏季賞与よりも多くするのが現実的でしょう。

参考　賞与支給額の最低保障に関する労使協定

〇〇年〇〇月〇〇日
〇〇株式会社取締役社長〇〇〇〇印
〇〇労働組合執行委員長〇〇〇〇印

賞与支給額の最低保障に関する労使協定

　〇〇株式会社（以下、「会社」という。）と〇〇労働組合（以下、「組合」という。）は、賞与支給額の最低保障について、次のとおり協定する。

1　夏季賞与の支給額は、所定内給与（通勤手当は除く）の1ヶ月分を下回らないこと。

2　年末賞与の支給額は、所定内給与（通勤手当は除く）の1.5ヶ月分を下回らないこと。

　本協定の有効期間は、〇〇年〇〇月〇〇日から1年とする。ただし、会社または組合が有効期間満了の2ヶ月前までに、相手方に対して異議を唱えないときは、さらに1年有効とし、以後も同様とする。

以上

3 年間支給月数に関する労使協定

(1) 労使協定の趣旨

① 年間賞与労使協定のメリット

賞与は、きわめて重要な労働条件です。社員の関心も高い。

労働組合のある会社では、労使交渉で賞与の支給額を決めるのが一般的です。会社が業績を踏まえて支給額を決め、それを労働組合が無条件で受け入れるということは、通常はあり得ないことです。

賞与の取扱いについては、実務的に、
・その都度、労使交渉で支給額を決める
・あらかじめ、年間の支給月数について協定を結ぶ
という2つがあります。

賞与の年間支給額の労使協定は、会社にとっても、労働組合にとってもメリットがあります。

図表7－3　年間協定のメリット

会社にとってのメリット	労働組合にとってのメリット
・労使交渉の手間を省ける。 ・労使関係の安定を図れる。 ・資金繰りの目途をつけることができる。 ・賞与の支給額を確定し、計画的な経営ができる。	・労使交渉の手間を省ける。 ・支給額を確定することにより、組合員の生活の安定を図れる。

② 労使協定のタイプ

賞与の年間協定には、
・春の賃上げ交渉などのときに、当年の夏季賞与と年末賞与の支給

額を一度に決める「夏冬型」

・当年の年末賞与と翌年の夏季賞与を一度に決める「冬夏型」

の2つがあります。

　春に賃上げ交渉をしている会社は、そのときに賞与についても交渉し、夏季と年末賞与の支給額を確定するのが便利です。昇給額と賞与支給額を同時に決めることにより、人件費管理が行いやすくなります。

　現在年間労使協定を締結している会社について見ると、大多数が「夏冬型」を採用しています。

(2) 労使協定の内容

　主な協定事項は、次の図表に示すとおりです。

図表7－4　協定事項と協定例

協定事項	協定例
1　支給対象者	算定期間中の勤務日数が所定勤務日数の3分の2以上で、かつ、支給日に在籍する者
2　算定期間	夏季賞与＝前年11月21日～当年5月20日 年末賞与＝5月21日～11月20日
3　支給月数	夏季賞与＝組合員平均基本給の2ヶ月分 年末賞与＝組合員平均基本給の2.5ヶ月分
4　欠勤・遅刻・早退の取扱い	1　算定期間中に欠勤があるときは、欠勤1日につき、所定勤務日数分の1を控除する。 2　遅刻、早退および私用外出は、合計3回をもって欠勤1日とみなす。 3　欠勤等を年次有給休暇に振り替えることはできないものとする。
5　法定控除	1　所得税 2　社会保険料 3　労使で協定した項目

6	支給日	夏季賞与＝6月10日 年末賞与＝12月10日
7	協定の見直し	経営環境に著しい変化が生じたときは、協定の見直しを行う。
8	協定の有効期間	1　○○年○○月○○日から1年 2　会社・組合いずれからも異議を唱えないときは、さらに1年有効とし、以後も同様とする。

(3) 協定内容の見直し

　協定を締結した以上は、その内容を遵守する義務があります。例えば、「夏季賞与は、基本給の2ヶ月分、年末賞与は基本給の3ヶ月分とする」と協定したときは、夏季賞与として基本給の2ヶ月分、年末賞与して3ヶ月分を支払う義務が生じます。

　しかし、経営環境は、いつ変化するか分かりません。主要な取引先が倒産して受注が激減するかもしれないし、為替レートの変化で輸出が減少するかも分かりません。また、他社との競争関係から売上が伸び悩み、業績が苦しくなることもあるでしょう。

　このため、「経営環境に著しい変化が生じたときは、協定の見直しを行う」という見直し条項を盛り込んでおくべきです。

　そして、実際に経営環境が著しく変化したときは、労働組合に対して、業績の現状と見通しを伝え、内容の見直しを協議します。

　見直し条項を盛り込むことは、経営の重要なリスク管理といえます。

参考　年間賞与に関する労使協定

〇〇年〇〇月〇〇日
〇〇株式会社取締役社長〇〇〇〇印
〇〇労働組合執行委員長〇〇〇〇印

賞与の年間支給額に関する労使協定

〇〇株式会社（以下、「会社」という。）と〇〇労働組合（以下、「組合」という。）は、賞与の年間支給額について、次のとおり協定する。

1　支給対象者

算定期間中の勤務日数が所定勤務日数の3分の2以上で、かつ、支給日に在籍する者とする。

2　算定期間

夏季賞与＝前年11月21日〜当年5月20日
年末賞与＝5月21日〜11月20日

3　支給月数

夏季賞与＝組合員平均基本給の2ヶ月分
年末賞与＝組合員平均基本給の2.5ヶ月分

4　欠勤・遅刻・早退の取り扱い

(1)　算定期間中に欠勤があるときは、支給額から、欠勤1日につき、所定勤務日数分の1を控除する。

(2)　遅刻、早退および私用外出は、合計3回をもって欠勤1日とみなす。

(3) 欠勤等を年次有給休暇に振り替えることはできないものとする。

5　法定控除
　(1)　所得税
　(2)　社会保険料
　(3)　労使で協定した項目

6　支給日
　夏季賞与＝6月10日
　年末賞与＝12月10日

7　協定の見直し
　経営環境に著しい変化が生じたときは、会社・組合のいずれも、相手に対し、協定内容の見直しを申し入れることができる。
　会社・組合のいずれも、相手から協定の内容の見直しの申入れを受けたときは、これを受け入れ、誠実に見直しを協議する。

8　協定の有効期間
　本協定の有効期間は、〇〇年〇〇月〇〇日から1年とする。ただし、会社または組合が有効期間満了の2ヶ月前までに、相手方に対して異議を唱えないときは、さらに1年有効とし、以後も同様とする。

以上

4　支給原資の業績連動制の労使協定

(1)　労使協定の趣旨

①　業績連動制の効用

　賞与は、会社の業績が良好であったときに、その成果の一部を社員に還元する目的で支給されるものです。したがって、賞与の支給原資（支給総額）を会社の業績に応じて決定するという業績連動制はきわめて合理的です。業績が良好であったときは支給額を多くし、業績が良好でなかったときは支給額を少なくして収支のバランスを取れば、経営の健全性・安全性を維持することができます。

　労働組合や社員にとっても、「業績に応じて多くの賞与を受け取れる」というメリットがあります。

②　業績連動制の問題点

　しかし、その反面、問題もあります。
　第1の問題は、
　・どのような項目を業績指標として採用するか
　・配分係数（業績指標のうち、賞与費に回す金額の比率）をどのように設定するか
　によって、賞与の原資が大きく減少する可能性がある
ということです。

　配分係数の決定次第では、支給原資がこれまでより3割も4割も少なくなる可能性があります。

　第2の問題は、業績が良くないときは、支給原資を確保できず、賞与が支給されないということです。

　社員は、賞与（ボーナス）の支給を当て込んで生活設計を立ててい

ます。このため、「業績が良くないから」という理由で賞与が支給されないと、社員の生活はピンチに立たされます。

賞与の支給額が著しく少なくなったり、あるいは不支給となったりすることは、労働組合として黙認できないことです。

このような事情から、労働組合は、賞与の業績連動制の内容や運用に関して協定を結ぶことを求めてきます。会社が業績連動制の採用を表明したときに、労働組合が何も要求してこないということは一般的には考えられません。

(2) 労使協定の内容

① 対象とする賞与

業績連動制の取り扱いには、
- 夏季賞与、年末賞与のいずれかを業績連動制とする
- 夏季賞与、年末賞与ともに業績連動制とする

の2つがあります。

図表7-5　業績連動制の取り扱い

	例
夏季賞与のみ連動制とする	夏季賞与➡営業利益×○％ 年末賞与➡所定内給与の2ヶ月分
年末賞与のみ業績連動制とする	夏季賞与➡基本給2ヶ月分 年末賞与➡粗利益×○％
夏季賞与・年末賞与の双方を対象とする	夏季賞与➡営業利益×○％ 年末賞与➡営業利益×○％

② 賞与の算定期間

賞与の算定期間を具体的に定めます。

③ 業績の準拠指標

　会社の業績には、さまざまな指標があります。どのようなものを業績の準拠指標とするかを定めます。

　どのようなものを業績の準拠指標とするかは、もとより各社の自由ですが、賞与は一般の社員（組合員）に支給されるものです。このため、
　　・一般の社員にとって分かりやすいもの
　　・日常の仕事を通じて実感できるもの
を選択するのが望ましいといえます。

④ 支給原資の算定式

　賞与の支給原資の算定式を具体的に定めます。例えば、次のとおりです。
　　・算定期間の粗利益×3％
　　・算定期間の売上高×1％
　　・算定期間の営業利益×10％

　業績の準拠指標のうち賞与に当てる金額の割合を「配分係数」といいます。配分係数の数値が高ければ高いほど、賞与の支給原資が多くなり、組合員一人当たりの支給額が増えます。しかし、その反面、会社の負担が重くなります。

　配分係数の数値をどのように決めるかが、業績連動制の労使協定の最大のポイントとなります。

⑤ 支給額の最低保障

　支給額の最低保障については、図表7－6に示すような取り扱いがあります。最低保障を行うときは、その内容を協定します。

第7章　賞与に関する労使協定

図表7－6　最低保障の取り扱い

	例
年末賞与のみ行う	夏季賞与➡最低保障なし 年末賞与➡所定内給与の1ヶ月分を保証
夏季賞与・年末賞与とも保障する	夏季賞与➡所定内給与の1ヶ月分を保障 年末賞与➡所定内給与の1.5ヶ月分を保障

参考　賞与の支給原資に関する労使協定

〇〇年〇〇月〇〇日
〇〇株式会社取締役社長〇〇〇〇印
〇〇労働組合執行委員長〇〇〇〇印

賞与の支給原資に関する労使協定

　〇〇株式会社（以下、「会社」という。）と〇〇労働組合（以下、「組合」という。）は、賞与の支給原資について、次のとおり協定する。

1　支給原資の決定基準
　賞与の支給原資は、夏季賞与、年末賞与ともに、算定期間の業績に基づいて決定する。

2　算定期間
　賞与の算定期間は、次のとおりとする。
　夏季賞与　　前年10月1日～当年3月31日
　年末賞与　　当年4月1日～9月30日

3　業績の準拠指標

　業績の準拠指標は、営業利益とする。

　会社は、公正な会計基準により営業利益を算定する。

4　支給原資の算定式

　支給原資は、次の算式で得られる金額とする。

　支給原資＝算定期間における営業利益×○％

5　最低保障

　業績が不振であるために支給原資を組合員に配分した場合の金額が所定内給与の１ヶ月分に満たないときは、全組合員に対して所定内給与の１ヶ月分を支給する。

6　協定の有効期間

　本協定の有効期間は、○○年○○月○○日から１年とする。ただし、会社または組合が有効期間満了の２ヶ月前までに、相手方に対して異議を唱えないときは、さらに１年有効とし、以後も同様とする。

以上

第7章 賞与に関する労使協定

5 支給額の格差制限の労使協定

(1) 労使協定の趣旨

① 業績への貢献度と賞与の支給額

賞与は、業績の還元を目的として支給されるものです。

業績への貢献度は、社員によって異なるのが一般的でしょう。業績（職場の業務目標の達成）に大きく貢献する社員がいる一方で、「仕事のスピードが遅い」「仕事にミスが多い」などにより、貢献度の少ない社員もいます。

会社としては、業績への貢献度の高い社員に対しては、賞与の支給額を増やしてその労に報いるとともに、業績への貢献度の少ない社員に対しては支給額を少なくしてその奮起を促すのが合理的です。業務目標の達成に対する貢献度に差異があるにもかかわらず、全社員に同じ月数の賞与を支給するというのは問題です。

このため、多くの会社が人事考課を行って、その結果を賞与の支給額に反映させています。

図表7－7　賞与支給額への人事考課の反映のさせ方

①　支給額＝基本給（または所定内給与）×平均支給月数＋人事考課分
②　支給額＝基本給（または所定内給与）×平均支給月数×人事考課係数

図表7-8　賞与の人事考課の項目

勤務態度	勤務成績
① 規律性 ② 協調性 ③ 積極性 ④ 責任性 ⑤ その他	① 仕事の量、仕事の迅速さ ② 仕事の質、仕事の正確さ ③ その他

② 支給格差と労働組合

　人事考課は、支給額にメリハリをつける目的で行われるものです。その結果、支給月数が全社員平均よりも多くなる社員が出る一方で、全社員平均を下回る社員が出ることになります。

　労働組合の活動理念の1つは、「組合員の平等な処遇」です。賞与の支給月数にある程度の差異が生じるのは容認できるとしても、大きな差異が生じるのは容認できません。大幅な支給格差を認めていたら、組合の結束を保つことができなくなります。

　そこで、会社に対して、支給月数の格差を一定の範囲に制限するよう要求します。

(2) 協定の内容

　労使協定のポイントは、「支給格差の範囲をどの程度まで認めるか」です。

　格差をどの程度まで容認するかは大変難しい問題ですが、一般的・常識的に判断して2倍か、3倍程度が適切でしょう。

図表7－9　支給月数の格差（2倍とした場合）

- 最低社員の支給月数が2ヶ月のとき
  ➡最高社員の月数は4ヶ月以内
- 最低社員の支給月数が2.5ヶ月のとき
  ➡最高社員の月数は5ヶ月以内
- 最低社員の支給月数が3ヶ月のとき
  ➡最高社員の月数は6ヶ月以内

参考　賞与の支給月数の格差制限に関する労使協定

〇〇年〇〇月〇〇日
〇〇株式会社取締役社長〇〇〇〇印
〇〇労働組合執行委員長〇〇〇〇印

賞与の支給月数の格差制限に関する労使協定

〇〇株式会社（以下、「会社」という。）と〇〇労働組合（以下、「組合」という。）は、賞与の支給月数の格差制限について、次のとおり協定する。

1　各人の支給額の決定
　会社は、個人ごとに算定期間における勤務成績等を公正に評価して賞与の支給月数を決定する。

2　最低支給月数
　賞与の支給月数は、夏季賞与、年末賞与共に、所定内給与の1ヶ月分を下回らないものとする。

3　支給月数の格差制限

　組合員の最高支給月数は、夏季賞与、年末賞与ともに、最小者の支給月数の2倍を超えないものとする。

　本協定の有効期間は、○○年○○月○○日から1年とする。ただし、会社または組合が有効期間満了の2ヶ月前までに、相手方に対して異議を唱えないときは、さらに1年有効とし、以後も同様とする。

以上

6 事業部門間の格差制限の労使協定

(1) 労使協定の趣旨

① 事業部門の業績と賞与

　会社の中には、複数の事業を経営しているところが多くあります。このような会社では、すべての事業部門が良い業績を上げるのが理想です。全部門が売上と利益を増加・拡大させることにより、会社全体・グループ全体の成長発展が図られます。

　しかし、業績を順調に伸ばす事業部門がある一方で、業績があまり伸びない部門が出るのが現実です。

　会社としては、事業部門の業績に応じて、その事業部門の賞与支給額を決めるのが合理的です。賞与は、業績の還元、成果の配分という性格を持っているからです。儲かっている事業部門とあまり儲かっていない事業部門とがあるにもかかわらず、全社一律に賞与の支給額を決めるのは必ずしも合理的とは言えないでしょう。

② 労働組合の立場

　労働組合の理念は、先ほども記したように「組合員の平等な処遇」です。

　事業部の成績によって賞与の支給額にある程度の差異が生じるのは容認できるとしても、著しい格差が生じることは組合にとって好ましくないことです。

　業績の良かった事業部門の組合員が所定内給与の４ヶ月、５ヶ月もの賞与を支給されるのに対して、売上や利益の額が少なかった部門の組合員の賞与は１ヶ月にも満たないというのでは、組合員の結束を維持することはできません。

そこで、労働組合は会社に対して支給格差の制限を要求してくることがあります。

図表7-10　労働組合の要求内容

①　業績が良くなかった事業部門にも、一定月数以上の賞与を支給すること
②　業績最高部門の賞与の支給月数を業績最低の部門の支給月数の一定倍以下に制限すること

(2)　労使協定の内容

労使交渉のポイントは、「業績最高の事業部門と業績最低部門の賞与との支給格差をどれくらいに制限するか」です。

格差をどのように制限するかはきわめて難しい問題ですが、一般的・常識的に判断して2倍か3倍程度とするのが適切でしょう。

図表7-11　部門の賞与の支給格差（2倍の場合）

・業績最低部門の支給月数が1ヶ月のとき 　　　　　　　　　➡業績最高部門の月数は2ヶ月以内 ・業績最低部門の支給月数が1.5ヶ月のとき 　　　　　　　　　➡業績最高部門の月数は3ヶ月以内 ・業績最低部門の支給月数が2ヶ月のとき 　　　　　　　　　➡業績最高部門の月数は4ヶ月以内

参考 事業部門間の賞与の支給格差の制限に関する労使協定

〇〇年〇〇月〇〇日
〇〇株式会社取締役社長〇〇〇〇印
〇〇労働組合執行委員長〇〇〇〇印

事業部門間の賞与の支給格差の制限に関する労使協定

〇〇株式会社(以下、「会社」という。)と〇〇労働組合(以下、「組合」という。)は、事業部門間の賞与の支給格差の制限について、次のとおり協定する。

1　事業部門の賞与の決定基準
　会社は、事業部門制度の趣旨に沿い、事業部門の組合員の賞与の支給額は、その事業部門の業績に応じて決定する。

2　最低支給月数
　組合員とその家族の生活を保障するため、賞与の支給月数は、夏季賞与、年末賞与ともに、所定内給与の1ヶ月分を下回らないものとする。

3　支給月数の格差制限
　業績が最高の事業部門の賞与の支給月数は、夏季賞与、年末賞与ともに、最低業績の事業部門の支給月数の2倍を超えないものとする。

　本協定の有効期間は、〇〇年〇〇月〇〇日から1年とする。ただし、会社または組合が有効期間満了の2ヶ月前までに、相手方に対して異議を唱えないときは、さらに1年有効とし、以後も同様とする。

以上

7 店舗部門の支給額算定の労使協定

(1) 労使協定の趣旨

① 店舗の業績と賞与

　小売業、サービス業、飲食業の中には、複数の店舗を構えて営業している会社が少なくありません。特定の都市に複数の店舗を経営している会社もあれば、特定の地域に広く店舗網を展開している会社もあります。中には、北海道から九州・沖縄に至るまで全国的に店舗を構えている会社もあります。

　会社の立場からすると、すべての店舗が良い業績を上げることが理想です。しかし、店の賑わいや収益に店舗差があるのが現実です。客数が多く儲かっている店舗もあれば、それほど儲かっていない店舗もあります。

　賞与は、業績の還元という性格を持つものですから、賞与の支給額に店舗の業績を反映させるのが合理的です。儲かっている店舗には多くの賞与を支給し、あまり儲かっていな店舗の賞与は抑制するのが合理的です。

② 労働組合の立場

　店舗部門の賞与をどのように算定するかは、もとより会社の自由です。

　算定方式によっては、店舗によって賞与の支給額に大きな格差が生じる可能性があります。給与の4倍、5倍もの賞与が支給される店舗が出る一方で、支給額が給与の1ヶ月にも届かない店舗が出る恐れがあります。

　同じ会社において同じ仕事をしながら、配属された店舗がどこであ

るかによって、賞与（ボーナス）の支給額に大きな格差が出るのは、労働組合にとって容認できない問題です。

そこで、組合は、会社に対して、大きな支給格差を生じさせない賞与の取り扱いを要求することになります。

(2) 労使協定の内容

① 賞与支給額の算定式

賞与の支給額の算定式を協定します。

店舗部門の賞与については、次のような方式を採用しているところが比較的多いといわれます。

○賞与支給額＝基本給（または所定内給与）×全社平均支給月数×その店舗の業績係数

② 店舗の業績係数の決定基準

店舗の業績係数をどのような基準で決定するかを協定します。決定基準としては、次のようなものがあります。

図表7－12　業績係数の決定基準

①	売上高
②	売上総利益
③	営業利益
④	社員1人当たりの売上高
⑤	社員1人当たりの売上総利益
⑥	社員1人当たりの営業利益
⑦	その他（売上目標達成率、売上高の対前年増加率、その他）

③ 業績係数の数値

業績係数の数値を具体的に定めます。

当然のことではありますが、係数の数値の幅が大きければ大きいほど、賞与の支給額の格差が大きくなります。

図表7－13　業績係数の例

2区分の場合	3区分の場合	4区分の場合	5区分の場合
業績S（優秀） 　　➡1.2 業績A（普通） 　　➡1.0	業績S（優秀） 　　➡1.2 業績A（普通） 　　➡1.0 業績B（劣） 　　➡0.8	業績S（優秀） 　　➡1.2 業績A　➡1.1 業績B（普通） 　　➡1.0 業績C（劣） 　　➡0.8	業績S（優秀） 　　➡1.2 業績A　➡1.1 業績B（普通） 　　➡1.0 業績C　➡0.9 業績D（劣） 　　➡0.8

④ 業績区分ごとの条件

業績の区分ごとに、その条件を具体的に協定します。

例えば、店舗の業績評価の準拠指標として「社員1人当たりの1ヶ月の売上高」を選択し、評価区分の数を5区分としたときは、次のようにその条件を定めます。

　○万円以上➡業績S
　○万円～○万円➡業績A
　○万円～○万円➡業績B
　○万円～○万円➡業績C
　○万円未満➡業績D

> **参考** 店舗部門の賞与の算定方式に関する労使協定

〇〇年〇〇月〇〇日
〇〇株式会社取締役社長〇〇〇〇印
〇〇労働組合執行委員長〇〇〇〇印

店舗部門の賞与の算定式に関する労使協定

〇〇株式会社(以下、「会社」という。)と〇〇労働組合(以下、「組合」という。)は、店舗部門の賞与の算定式について、次のとおり協定する。

1　店舗部門の賞与の算定式
　店舗部門の組合員の賞与支給額は、夏季賞与、年末賞与ともに、次の算式によって算定する。
　賞与支給額＝基本給×全社平均支給月数×その店舗の業績係数

2　業績係数
　業績係数は、店舗の業績により、次の5区分とする。
　　　業績S（優秀）　　1.2
　　　業績A（優）　　　1.1
　　　業績B（普通）　　1.0
　　　業績C（やや不良）0.9
　　　業績D（不良）　　0.8

3　業績区分の決定基準
　業績の区分の決定基準は、賞与算定期間における、店舗所属社員1人当たりの売上高に応じて次のとおりとする。

売上高〇万円以上	業績S
売上高〇万円～〇万円	業績A
売上高〇万円～〇万円	業績B
売上高〇万円～〇万円	業績C
売上高〇万円未満	業績D

4　全社平均支給月数

　全社平均の賞与支給月数は、会社全体の業績により決定する。

5　不適用の店舗の範囲

　この協定に定める賞与支給額の算定式は、次に掲げる店舗には適用しない。

(1)　賞与算定期間中に店舗の内装工事等のために休業した店舗
(2)　賞与の算定期間中に開店した店舗
(3)　その他この協定の適用が適切でないと判断される店舗

　本協定の有効期間は、〇〇年〇〇月〇〇日から1年とする。ただし、会社または組合が有効期間満了の2ヶ月前までに、相手方に対して異議を唱えないときは、さらに1年有効とし、以後も同様とする。

以上

8 欠勤・遅刻控除の労使協定

(1) 労使協定の趣旨

賞与について、欠勤、遅刻、早退の控除（支給額の一部カット）を行うかどうかは、それぞれの会社の自由ですが、多くの会社が実施しています。

欠勤・遅刻等は、本来あってはならないことです。また、育児や介護というような合理的な理由がないのに欠勤や遅刻・早退を繰り返す社員に対して満額の賞与を支給したら、欠勤等を容認し、職場の服務規律がさらに乱れる可能性があります。

欠勤・遅刻等の控除は、職場の服務規律と秩序を維持するための当然の措置といえます。

しかし、控除の方法によっては、社員に不利益が及ぶ可能性があります。控除は、社員が納得する合理的な方法で行われる必要があります。そこで、労働組合は、控除の方法について協定を結ぶことを会社に要求します。

(2) 労使協定の内容

① 欠勤控除の方法

欠勤控除には、主として、図表に示すような方法があります。

図表7-14 欠勤控除の方法

① 欠勤日数に応じて控除する（日割控除）
② 欠勤日数が一定日数までは控除せず、一定日数を超えた場合にのみ、その日数に応じて控除する
③ 欠勤日数に応じて、日割相当分の半額を控除する

④　欠勤日数の区分に応じて、支給額の一定割合を控除する（例えば、欠勤日数1～3日➡1％控除、4～7日➡3％控除、8～11日➡5％控除……）
⑤　その他

② 遅刻・早退の控除の方法

遅刻・早退の控除については、図表に示すような方法があります。

図表7－15　遅刻・早退の控除の方法

①　遅刻・早退の回数で控除する（例えば、遅刻・早退合わせて3回をもって欠勤1日とみなし、控除する）
②　一定の回数までは控除せず、一定の回数を超えた場合にのみ控除する（例えば、遅刻・早退合わせて9回までは控除せず、10回を超えた場合にのみ、合わせて3回をもって欠勤1日とみなして控除する）
③　遅刻・早退の時間で控除する（遅刻と早退の総時間数に応じて控除する）
④　遅刻・早退の時間数の区分に応じて控除する（例えば、8時間未満のとき➡0.5日分控除、8～16時間未満➡1日分控除、16～24時間未満➡2日分控除……）
⑤　回数区分ごとに控除する（例えば、1～6回➡1日分控除、7～12回➡2日分控除……）

第7章 賞与に関する労使協定

> **参考** 賞与の欠勤・遅刻・早退控除に関する労使協定

〇〇年〇〇月〇〇日
〇〇株式会社取締役社長〇〇〇〇印
〇〇労働組合執行委員長〇〇〇〇印

賞与の欠勤・遅刻・早退控除に関する労使協定

〇〇株式会社（以下、「会社」という。）と〇〇労働組合（以下、「組合」という。）は、賞与の欠勤、遅刻および早退の控除について、次のとおり協定する。

1　欠勤控除
　算定期間における欠勤1日につき、所定勤務日数分の1に相当する額を控除する。
　欠勤控除＝賞与支給額×（欠勤日数／算定期間の所定勤務日数）

2　遅刻・早退控除
　算定期間における遅刻および早退の時間数を合計し、その時間数に相当する額を控除する。
　遅刻・早退控除＝賞与支給額×（遅刻・早退の時間数／算定期間の所定勤務時間数）

　本協定の有効期間は、〇〇年〇〇月〇〇日から1年とする。ただし、会社または組合が有効期間満了の2ヶ月前までに、相手方に対して異議を唱えないときは、さらに1年有効とし、以後も同様とする。

以上

9 出向者の給与・賞与の労使協定

(1) 労使協定の趣旨

① 出向社員の給与・賞与の取り扱い

社員を子会社・関連会社や取引先・サプライチェーンなどに出向させている会社が少なくありません。

出向社員は、出向元（親会社）の社員であるとともに、出向先（子会社・関連会社等）の社員でもありますが、もっぱら出向先の指揮命令に従って、出向先に労務を提供します。このため、出向社員の給与と賞与については、出向先の給与規程を適用し、出向先が支給するのが合理的です。労務の提供を受けない出向元が出向社員の給与・賞与を決定し、かつ、支給するというのは合理的であるとは言えません。

しかし、出向社員に対して出向先の給与規程を適用すると、出向社員が受け取る給与・賞与の金額が減少する可能性があります。子会社・関連会社等の経営規模が小さく、収益力・財務基盤が弱いからです。

② 労働組合の主張

出向に伴って、給与・賞与が少なくなるというのは、社員（組合員）にとってきわめて不都合です。

労働組合としては、組合員が不利になるような人事を容認するわけにはいきません。そこで、会社に対して、出向者の給与・賞与については、会社の給与規程を適用し、会社が支給するよう要求します。

③ 出向社員に支給した給与・賞与の負担

なお、会社が出向社員に対して支給した給与と賞与の負担について

は、次の３つがあります。いずれを採用・選択するかは、出向元と出向先が話し合って決めるべきことで、労働組合が関与すべき問題ではありません。

図表７－16　出向社員の給与・賞与の負担

①	出向先が全額負担する
②	出向先と出向元で折半する
③	出向元が全額負担する

(2) 労使協定の内容

労使協定の内容は、図表に示すとおりです。

図表７－17　労使協定の内容

①	出向社員の給与および賞与については、会社（出向元）の規程を適用し、会社が支給すること
②	出向社員の給与および賞与について、出向していることを理由として不利な取り扱いをしないこと

参考　出向社員の給与・賞与に関する労使協定

〇〇年〇〇月〇〇日
〇〇株式会社取締役社長〇〇〇〇印
〇〇労働組合執行委員長〇〇〇〇印

出向社員の給与および賞与に関する労使協定

　〇〇株式会社（以下、「会社」という。）と〇〇労働組合（以下、「組合」という。）は、出向社員の給与および賞与の取り扱いについて、次のとおり協定する。

1　給与・賞与の基本的な取り扱い
　出向社員の給与および賞与については、その職務遂行能力および勤務成績等に応じて公正に取り扱う。

2　給与規程の適用
　出向社員の給与および賞与については、会社の給与規程を適用し、会社が支給する。

　本協定の有効期間は、〇〇年〇〇月〇〇日から1年とする。ただし、会社または組合が有効期間満了の2ヶ月前までに、相手方に対して異議を唱えないときは、さらに1年有効とし、以後も同様とする。

以上

第8章

パートタイマーの賞与

1 賞与の支給

(1) パートタイマー雇用の効果

多くの会社がパートタイマーを雇用しています。

パートタイマーの雇用は、会社にとって、

・比較的に容易な業務、定型的・補助的な業務を処理できる

・1日のうちの忙しい時間帯、1週のうちの忙しい曜日に対応できる

・人件費を抑制できる

などのメリットがあります。

正社員に比較して安いコストで募集・採用ができることも、パートタイマー雇用のメリットといえるでしょう。

(2) パートタイマーへの賞与の支給

パートタイマーに対して賞与を支給するかしないかは、それぞれの会社の自由です。支給しないからといって、労働基準法に違反するわけではありません。

会社の中には、
- ・補助的な労働力である
- ・雇用期間が限られている（6ヶ月、あるいは1年程度）
- ・出入りが激しい。離職・退職者が多い
- ・勤務時間数、あるいは勤務日数が少ない

などの理由から、賞与を支給していないところが少なくありません。パートタイマーが会社にとってきわめて重要な労働力となっているにもかかわらず、人件費とコストの節減を理由として、支給していない会社も存在します。

しかし、賞与の支給は、パートタイマーの勤労意欲の向上その他の効果が期待できます。このため、賞与を支給することにするのがよいでしょう。

図表8-1　パートタイマーへの賞与支給の効果

①	勤労意欲の向上を図れる
②	定着率が改善される。離職・退職者が少なくなる
③	職場の一体感が形成される
④	募集・採用がやりやすくなる
⑤	その他

2　賞与の支給対象者と算定期間

(1)　支給対象者

①　賞与の支給条件

賞与は、
- ・支給日に在籍していること

・算定期間において、一定日数以上勤務していること
という２つの条件を満たす者に支給するのが適切でしょう。

　パートタイマーは、正社員に比較して出入り（離職・退職）が多いという特徴があります。算定期間には勤務していてもその後個人的な事情で退職し、賞与の支給日には在籍していないという人もいます。

　支給日当日に在籍していない人に賞与を支給するかしないかは、会社の自由です。正社員の場合は、支給日当日在籍していない者に対しては賞与を支給しないのが一般的です。パートタイマーについても、支給日に在籍していない者には支給しないことにするのがよいでしょう。

② 算定期間の勤務日数

　会社の業務に貢献するには、一定日数以上勤務し、業務の内容を知ることが必要です。パートタイマーの担当する仕事が定型的・補助的なものであるとはいえ、短い期間では、会社に貢献することは難しいでしょう。

　また、算定期間における勤務日数が少ない者に賞与を支給したら、職場の仲間や同僚は「納得できない」と思うでしょう。

　このため、「算定期間において100日以上勤務していること」「算定期間中の勤務日数が80日以上であること」というように、勤務日数について、一定の条件を設けるのが合理的・現実的でしょう。

③ 勤務時間数・勤務日数

　パートタイマーの特徴の１つは正社員に比較して１日の勤務時間数、または１週の勤務日数が短いことです。勤務時間数・勤務日数は人によって異なりますが、一般的・常識的に判断して時間数・日数が短くなればなるほど、会社の業務への貢献に限界が生じます。

　このため、勤務時間・日数について、一定の条件を設けることも考

えられます。

図表8-2 勤務時間・勤務日数の例

・1日の勤務時間が4時間以上であること
・1週3日以上勤務していること
・1日3時間以上、かつ、週4日以上勤務していること
・契約勤務時間が週20時間以上の者

④ 勤続年数

勤続年数は、人それぞれです。短いパートタイマーもいれば、比較的長い人もいます。せっかく採用した者に辞められると、募集・採用を繰り返さなければならず、会社にとって負担です。

会社にとっては、パートタイマーの勤続がある程度長いのが望ましいといえます。長期勤続を側面的に奨励するため、勤続年数を賞与の支給条件とすることも考えられます。

図表8-3 賞与の支給対象者の条件

例1	例2	例ⅲ
・支給日当日在籍していること ・算定期間において80日以上勤務していること	・支給日当日在籍していること ・算定期間中の勤務日数が100日以上 ・契約勤務時間数が週15時間以上	・支給日当日在籍していること ・算定期間において80日以上勤務していること ・所定勤務時間数が週20時間以上 ・勤続1年以上

(2) 賞与の算定期間

賞与の算定期間は、正社員と同じとするのが便利です。
正社員について、算定期間を

・夏季賞与　　前年12月1日～当年5月31日
・年末賞与　　6月1日～11月30日

としているときは、パートタイマーについても、同様とします。

3　支給額の決め方

(1)　支給額の決め方

支給額の決め方には、主として図表に示すようなものがあります。

図表8－4　パートタイマーの賞与の決め方

①	金一封を支給する
②	定額を支給する
③	時間給×支給係数
④	時間給×支給係数＋定額加算
⑤	月収×支給係数（支給月数）
⑥	月収×支給係数（支給月数）＋定額加算
⑦	その他

(2)　各方式の事例

①　金一封方式

これは、支給対象者全員に対して、一定額（例えば、3万円）を「金一封」として手渡すというものです。

パートタイマーは、一般的に、「1日の勤務時間が短い」「週の勤務日数が少ない」「補助的な仕事をする」などの特徴があります。したがって、正社員に比較すると、会社の業績への貢献度は少ないといえます。しかし、誰もが賞与支給への期待感を持っています。

金一封方式は、金額はわずかですが、そのような期待感に応えられ

るという効果があります。

② 定額方式

　これは、支給対象者全員に対して定額を支給するというものです。定額の決め方には、
　　・全員同額とする
　　・勤続年数の区分に応じて決める
　　・週の所定勤務時間数の区分に応じて決める
　　・日ごろの勤務態度（規律性、責任性、協調性など）や勤務成績
　　　（仕事の正確さ・仕事の速さ）の評価の区分に応じて決める
などがあります。

図表8－5　定額の決め方

決め方	例
全員同額	全員一律8万円
勤続年数方式	3年超➡10万円 3年以下➡8万円
勤務時間数方式	週30時間以上➡12万円 週20〜30時間未満➡10万円 週20時間未満➡8万円
人事考課方式（勤務態度・勤務成績の評価）	きわめて優れていた➡15万円 優れていた➡12万円 普通以下➡10万円

③ 時間給×支給係数方式

　パートタイマーの勤務時間数は、一般に人によって異なります。このため、給与形態として時間給が広く採用されています。

　これは、各人の時間給に支給係数を乗じた額を賞与の支給額とするという方式です。

例えば、支給係数を100とした場合、支給額は次のようになります。

時間給800円の者➡800円×100＝80,000円

時間給850円の者➡850円×100＝85,000円

時間給900円の者➡900円×100＝90,000円

④ 時間給×支給係数＋定額分方式

これは、各人の時間給に支給係数を乗じて得られる金額に一定の金額を加算するというものです。

加算額の決め方には、

・勤続年数の区分に応じて決める

・週の所定勤務時間数の区分に応じて決める

・日ごろの勤務態度（規律性、責任性、協調性など）や勤務成績（仕事の正確さ・仕事の速さ）の評価の区分に応じて決める

などがあります。

図表8－6　加算額の決め方

決め方	例
勤続年数方式	3年超➡5万円加算 2～3年➡3万円加算 2年以下➡加算なし
勤務時間数方式	週30時間以上➡6万円加算 週20～30時間未満➡2万円加算 週20時間未満➡加算なし
人事考課方式（勤務態度・勤務成績の評価）	きわめて優れていた➡5万円加算 優れていた➡2万5千円加算 普通以下➡加算なし

⑤ 月収×支給係数方式

月収は、人によって異なります。当然のことですが、勤務時間数が

多い者ほど、多くの月収を得ています。

　これは、月収（時間給×1ヶ月の勤務時間数）に支給係数を乗じることによって得られる額を賞与の支給額とするというものです。

　例えば、支給係数を「1」とする場合、支給額は、次のようになります。

　　月収125,000円の者➡125,000円×1＝125,000円

　　月収110,000円の者➡110,000円×1＝110,000円

　　月収80,000円の者➡80,000円×1＝80,000円

　月収は、次の算式で算定するのがよいでしょう。

　　月収＝算定期間6ヶ月の給与の総額÷6

⑥　月収×支給係数＋定額加算方式

　これは、平均月収に支給係数（支給月数）を乗じて得られる金額に、さらに一定の基準を満たす者に特別加算を行うというものです。

　加算額の決め方には、

・勤続年数の区分に応じて決める

・週の所定勤務時間数の区分に応じて決める

・日ごろの勤務態度（規律性、責任性、協調性など）や勤務成績（仕事の正確さ・仕事の速さ）の評価の区分に応じて決める

などがあります。

　例えば、長期勤続者を優遇する目的で、勤続年数の区分に応じて加算するときは、次のように加算額を決めます。

○勤続5年以上の者➡4万円加算

○勤続3〜5年未満の者➡3万円加算

○勤続1〜3年未満の者➡2万円加算

○勤続1年未満の者➡加算なし

⑦　月収×支給係数×人事考課係数

　これは、1ヶ月平均の月収に支給月数を乗じることによって平均支給額を算定したうえで、勤務態度や勤務成績の人事考課を踏まえた人事考課係数を乗じることによって平均支給額の増減を行うというものです。

　人事考課係数の決め方には、3区分方式、5区分方式などがあります。

　考課係数の数値をどの程度とするかはもとより各社の自由ですが、係数の幅（最大値と最小値の格差）を大きくすればするほど、賞与の支給月数の格差が拡大します。格差を大きくすると、職場の一体感と相互の協調性の維持に問題が生じる可能性があります。

　一般的・常識的に判断して考課係数の最大値は1.2程度、最小値は0.8程度とするのが妥当でしょう。

図表8－7　人事考課係数の決め方

3区分方式	5区分方式
優れていた➡1.2 普通➡1.0 劣っていた➡0.8	きわめて優れていた➡1.2 優れていた➡1.1 普通➡1.0 やや劣っていた➡0.9 劣っていた➡0.8

(3)　欠勤・遅刻・早退控除

　欠勤の控除には、

　・日割相当分を控除する

　・欠勤日数が一定の日数を超えた場合に、日割相当分を控除する

などの方法があります。

また、遅刻・早退の控除には、
- 遅刻と早退の時間数を総計し、その時間数に相応する金額を控除する
- 回数で控除する（例えば、遅刻・早退合わせて3回をもって欠勤1日とみなして控除する）

などの方法があります。

欠勤・遅刻・早退の控除については、正社員に適用している方式をパートタイマーにも適用するのが現実的です。

4 賞与のための人事考課の項目と評価の方法

(1) 支給額の決定

① パートタイマーの勤務態度と勤務成績

賞与は、業績の還元、成果の配分という性格を持っています。会社の業績（売上や利益目標の達成）を左右するのは、日ごろの勤務態度と勤務成績です。

勤務態度は、人によって相当異なります。勤務態度が優れているパートタイマーもいれば、やや問題のある人もいます。欠勤や遅刻がまったくなく、毎日定時にきちんと出社し、定時から仕事を始めるまじめなパートタイマーもいれば、残念ながら欠勤や遅刻の回数の多い人もいます。

勤務成績も、一人ひとり異なります。

② 支給額の公正な決定

賞与については、パートタイマー一人ひとりについて、算定期間中の勤務態度および勤務成績を評価し、その評価の結果を踏まえて支給

額を決定するべきです。特に、常時一定数のパートタイマーを雇用している会社は、人事考課を行い、支給額を公正に決定する必要があります。

人事考課をいっさい行わず、すべてのパートタイマーに対して、時間給の50時間分、あるいは100時間分を一律に支給するという方法は、公正・公平な処遇と職場の活性化という観点から判断して大いに問題があります。

図表8-8　賞与の人事考課の効果

①　勤務態度・勤務成績の良いパートタイマーに報いることができる
②　パートタイマー全体の職業意識の向上を図れる
③　公正な処遇により、経営への信頼感を高めることが期待できる

(2) 人事考課の対象分野

人事考課は、
・勤務態度に関すること
・勤務成績に関すること
について行うのが合理的です。

業務知識や技術・技能のレベルなどの職務遂行能力は、考課の対象とする必要はありません。なぜならば、会社にとって大事なことは、「仕事の質や量はどうであったか」であり、「職務遂行能力のレベルが高いかどうか」ではないからです。

また、賞与の人事考課の対象については、「勤務成績だけを評価すればよいのではないか」という意見もあります。確かにそれも合理的ですが、職場では規律性・協調性なども必要です。したがって、勤務態度も評価するのが望ましいといえます。

(3) 人事考課の項目と着眼点

パートタイマーは、一般に定型的・補助的な業務を担当します。したがって、図表に示すような項目を人事考課の対象とするのが現実的です。

図表8－9　人事考課の項目と着眼点

(1) 勤務態度関係

項目	着眼点
勤務状況	・勤務日に必ず勤務したか ・始業時刻から仕事を始めたか ・終業時刻まで仕事をしたか
規律性	・会社の規則を良く守ったか ・役職者の指示命令を良く守ったか
協調性	・職場の同僚と協力協調して仕事をしたか ・職場の人間関係を重視したか ・職場の和を大切にしたか
積極性	・仕事に積極的に取り組んだか ・仕事の幅の拡大、能率の向上に前向きであったか ・仕事についての知識の拡大に積極的であったか
責任性	・指示された仕事を最後まできちんとやり終えたか ・仕事への強い責任感があったか
自主性・主体性	・自主的に仕事に取り組んだか ・勤務時間をムダに過ごすことはなかったか ・安易に上司の指示を求めることはなかったか

報告・連絡	・仕事の経過や結果を適切に上司に報告したか ・報告の内容やタイミングは適切であったか ・トラブルや異常が生じたときは、直ちに上司に連絡したか
創意工夫	・仕事の能率の向上、生産性の改善等について、創意工夫を図ったか ・仕事の進め方がマンネリに陥っていないか
異常事態・トラブルへの対応	・異常事態やトラブルに対して適切に対応することができたか ・問題が生じたときに、冷静に行動することができたか

(2) 勤務成績関係

仕事の正確さ	・仕事は正確であったか ・ミスやトラブルはなかったか
仕事の迅速さ	・迅速に仕事を進めたか ・仕事が遅くて関係部門の業務に支障を与えることはなかったか
仕事の量	・勤続年数、経験年数にふさわしい量の仕事をしたか ・会社の期待に応えるだけの仕事をしたか

(3) 評価の方法

評価の方法には、
- 評語選択法（各考課項目について、3つ、または5つ程度の区分で評価する）
- 採点法（各考課項目について、一定の満点を決め、その範囲で評価する）
- 評語選択・採点併用法（各考課項目について、3つ、または5つ程度の区分で評価し、それを点数に換算する）

などがあります。

図表8−10　評語選択法の例

3区分方式	5区分方式
・優れていた ・普通 ・劣っていた	・きわめて優れていた ・優れていた ・普通 ・やや劣っていた ・劣っていた

5　人事考課表のモデル

　人事考課は、パートタイマーの賞与（一時金）の支給額を決定するという目的で行われるものです。正社員に比較すると、支給額は少ないとはいえ、いくら支給されるかは、パートタイマー本人にとってきわめて重要なことです。したがって、全社統一の基準に基づいて公正に行われることが必要です。

　また、役職者は、仕事の合間の短い時間を使って人事考課を行うのが一般的です。考課に長い時間を掛ける役職者はきわめて少ないでしょう。

　会社は、人事考課が統一的・効率的に行われるよう、記載しやすい考課表を用意することが必要です。考課に時間を要するもの、書きにくいものは、たとえ考課項目が業務の内容に即しているとしても、役職者に記載させる考課表としては失格です。

第8章　パートタイマーの賞与

（様式）パートタイマーの考課表

① 標準的なもの

<table>
<tr><th colspan="2">パート社員人事考課表（賞与用）</th></tr>
<tr><td>パート社員所属・氏名</td><td>○○課○○○○</td></tr>
<tr><td>考課対象期間</td><td>○年○月○日～○年○月○日</td></tr>
</table>

～考課対象期間中の勤務態度および勤務成績を、次の5段階で
公正に評価してください～
　　　（評価区分）
　　　S＝きわめて優れていた
　　　A＝優れていた
　　　B＝普通
　　　C＝やや劣っていた
　　　D＝劣っていた

項目	着眼点	評価
勤務状況	・勤務日に必ず勤務したか ・遅刻・早退はなかったか ・勤務時間中は職務に精励したか	S　A　B　C　D ├─┼─┼─┼─┤ 10　8　6　4　2
規律性	・会社の規則をよく守ったか ・役職者の指示をよく守ったか	S　A　B　C　D ├─┼─┼─┼─┤ 10　8　6　4　2
協調性	・同僚と協力協調して仕事をしたか ・職場の和を重視したか	S　A　B　C　D ├─┼─┼─┼─┤ 10　8　6　4　2
責任性	・指示された仕事をきちんとやり終えたか ・仕事への責任感が強かったか	S　A　B　C　D ├─┼─┼─┼─┤ 10　8　6　4　2
報告・連絡	・仕事の経過や結果を役職者に適切に報告したか ・トラブルや異常事態を直ちに役職者に連絡したか	S　A　B　C　D ├─┼─┼─┼─┤ 10　8　6　4　2

仕事の正確さ	・仕事は正確であったか ・ミスやトラブルが目立つことはなかったか	S A B C D 25 20 15 10 5
仕事の迅速さ	・仕事の速さはどうであったか ・手際よく仕事を進めたか	S A B C D 25 20 15 10 5
計(100点満点)	————	点

考課者所見			
考課月日	○月○日	考課者	○○○○

以上

② 3区分評価によるもの

パート社員人事考課表（賞与用）

パート社員所属・氏名	○○課○○○○
考課対象期間	○年○月○日～○年○月○日

～考課対象期間中の勤務態度および勤務成績を、次の3段階で公正に評価してください～
（評価区分）優れていた／普通／劣っていた

項目	着眼点	評価
規律性	・勤務日に必ず勤務したか ・遅刻・早退はなかったか ・会社の指示命令をよく守って仕事をしたか	□優□普通□劣
積極性	・仕事に積極的・意欲的に取り組んだか ・仕事の能力を伸ばそうと努力したか	□優□普通□劣
協調性	・同僚と協力協調して仕事をしたか ・職場の和を重視したか	□優□普通□劣
責任性	・指示された仕事をきちんとやり終えたか ・仕事への責任感が強かったか ・安易に上司・同僚に頼ることはなかったか	□優□普通□劣
仕事の正確さ	・仕事は正確であったか ・ミスやトラブルが目立つことはなかったか	□優□普通□劣
仕事の量	・勤続年数、経験年数にふさわしい量の仕事をしたか	□優□普通□劣

総合評価	以上を総合的に評価するとどうであったか	□優□普通□劣

考課者所見	

考課月日	○月○日	考課者	○○○○

以上

③ 評語の表現に工夫したもの

<table>
<tr><td colspan="2" align="center">パート社員人事考課表（賞与用）</td></tr>
<tr><td>パート社員所属・氏名</td><td>○○課○○○○</td></tr>
<tr><td>考課対象期間</td><td>○年○月○日〜○年○月○日</td></tr>
</table>

項目	評価
欠勤	□欠勤はまったくなかった □少しあった □欠勤がしばしばあった。無断欠勤もあった
遅刻・早退	□遅刻・早退はまったくなかった □少しあった □しばしば遅刻・早退があった。事前の届け出のないときもあった
責任感	□とても強かった。指示した仕事は最後までやり終えた □強かった □普通 □責任感に欠けるところがあった。指示された仕事を途中で放棄することもあった
協調性	□とても強かった。職場の和を重視して働いた □強かった □普通 □協調性に欠けるところがあった。マイペースのところが多かった
仕事の正確さ	□非常に正確であった。安心して仕事を任せることができた □正確であった □少しミスがあった □ミスが多かった。職場の業務に支障を及ぼすことがあった

仕事の速さ	□非常に速かった。段取りをよく考えて仕事を進めた □速かった □普通 □少し遅かった。職場の業務に支障を及ぼすこともあった
仕事の量	□平均よりとても多かった。経験年数にふさわしい量の仕事をした □多かった □普通 □平均以下であった。経験年数や能力にふさわしくなかった

○以上を総合的に評価したときの判定
□とても優れていた　　□優れていた　　□普通
□やや劣っていた　　□劣っていた

考課月日	○月○日	考課者	○○○○

以上

第9章

給与・賞与費と総人件費の管理

1 経営と給与・賞与費の管理

(1) 給与・賞与費管理の必要性

　経営を適正かつ効率的に進めていくためには、総人件費を合理的に管理することが必要不可欠です。

　総人件費の範囲は多岐にわたりますが、その中心を構成するのは月例給与と賞与です。

　月例給与は、毎月定期的に発生するという性格があります。一方、賞与は年2回の支給ですが、1回当たりの支払金額が大きいという性格があります。また、給与も賞与も、現金で支出しなければなりません。このため、その金額の合理的な決定・管理とともに、資金繰りへの配慮も重要です。

　会社としては、総人件費を合理的に管理することが望ましいといえますが、それが難しい場合には、給与および賞与に限定して、その管理を合理的に行うことが必要です。

(2) 給与・賞与費の範囲

　管理する給与・賞与費の範囲は、正社員のみならず、非正社員も含め、図表9－1のとおりとするのが現実的・合理的でしょう。

図表9－1　給与・賞与費の範囲

①　月例給与（基本給、諸手当） ②　時間外・休日勤務手当 ③　賞与（夏季賞与、年末賞与） ④　社会保険料の使用者負担分 ⑤　パートタイマー・嘱託社員等非正社員の給与

(3) 管理体制と管理方法

① 管理責任者を置く

　給与・賞与費の管理は、組織的・継続的に行うことが必要です。組織的・継続的に行わないと、その効果を上げることができません。このため、管理責任者を置くこととします。一般的には、人事部長を管理責任者とするのが妥当でしょう。

② 給与・賞与費予算の作成

　給与・賞与費の管理を合理的・計画的に行うため、人事部長は、毎年度、給与・賞与費予算を作成し、社長の承認を得るものとします。

　給与・賞与費予算は、図表9－2に示す事項を総合的に勘案して作成します。

図表９－２　給与・賞与費予算の作成に当たって勘案すべき事項

費　目	勘案すべき事項
給与費	・当年度の経営計画 ・在籍人員の見込み ・定期昇給額の見込み ・昇進・昇格者の見込み ・前年度の給与費の実績 ・その他必要事項
時間外・休日勤務手当費	・各部門の時間外・休日勤務時間数の見込み ・平均給与額の見込み ・前年度の時間外・休日勤務手当費の実績 ・その他必要事項
賞与費	・当年度の経営計画 ・在籍人員の見込み ・前年度の賞与費の実績 ・その他必要事項
社会保険料費	・社会保険の料率 ・平均給与額の見込み ・平均賞与支給額の見込み ・在籍人員の見込み ・その他必要事項
非正社員の給与費	・各部門の非正社員の雇用見込み ・非正社員の時間給の見込み ・前年度の非正社員給与費の実績 ・その他必要事項

③　給与・賞与費予算の執行

　人事部長に対して、次の事項を誠実に遵守して給与・賞与費予算の適正な執行に当たることを求めます。

　・金銭出納規程その他の経理諸規程
　・業務分掌
　・職務権限規程

・関係法令

④ **給与・賞与費予算の月間支出計画**

　給与・賞与費の管理を確実に行うためには、毎月支出計画を作成するのがよいでしょう。このため、人事部長は、毎月一定期日までに翌月の給与・賞与費支出計画を作成し、これを社長に提出してその承認を得るものとします。

⑤ **給与・賞与費予算の修正**

　人事部長は、年度の途中において給与・賞与費予算を修正する必要があると認めるときは、社長に次の事項を申し出てその承認を得るものとします。

・修正を必要とする理由
・修正の内容
・修正の実施日
・その他必要事項

> **参考** 給与・賞与費管理規程

給与・賞与費管理規程

(総則)
第1条 この規程は、社員(非正社員も含む)の給与および賞与費の管理について定める。
2 この規程において、給与・賞与費の範囲は、次のとおりとする。
 (1) 月例給与(基本給、諸手当)
 (2) 時間外・休日勤務手当
 (3) 賞与(夏季賞与、年末賞与)
 (4) 社会保険料の使用者負担分
 (5) パートタイマー・嘱託社員等非正社員の給与
(管理年度)
第2条 給与・賞与費の管理年度は、4月1日から翌年3月31日までの1年とする。
(管理責任者)
第3条 給与・賞与費の管理責任者は、人事部長とする。
2 人事部長を欠くとき、または事故あるときは、次の者が次の順序で管理責任者となる。
 (1) 人事部次長
 (2) 人事課長
(給与・賞与費予算の作成)
第4条 人事部長は、毎年度、給与・賞与費予算を作成し、社長の承認を得なければならない。
(給与費予算の作成基準)
第5条 給与費予算は、次の事項を総合的に勘案して作成しなければならない。

(1) 当年度の経営計画
(2) 在籍人員の見込み
(3) 定期昇給額の見込み
(4) 昇進・昇格者の見込み
(5) 前年度の給与費の実績
(6) その他必要事項

(時間外・休日勤務手当費予算の作成基準)

第6条　時間外・休日勤務手当費予算は、次の事項を総合的に勘案して作成しなければならない。
(1) 各部門の時間外・休日勤務時間数の見込み
(2) 平均給与額の見込み
(3) 前年度の時間外・休日勤務手当費の実績
(4) その他必要事項

(賞与費予算の作成基準)

第7条　賞与費予算は、次の事項を総合的に勘案して作成しなければならない。
(1) 当年度の経営計画
(2) 在籍人員の見込み
(3) 前年度の賞与費の実績
(4) その他必要事項

(社会保険料費予算の作成基準)

第8条　社会保険料費予算は、次の事項を総合的に勘案して作成しなければならない。
(1) 社会保険の料率
(2) 平均給与額の見込み
(3) 平均賞与支給額の見込み
(4) 在籍人員の見込み
(5) その他必要事項

（非正社員の給与費予算の作成基準）

第9条　非正社員の給与費予算は、次の事項を総合的に勘案して作成しなければならない。

　(1)　各部門の非正社員の雇用見込み

　(2)　非正社員の時間給の見込み

　(3)　前年度の非正社員給与費の実績

　(4)　その他必要事項

（給与・賞与費予算の執行）

第10条　人事部長は、給与・賞与費予算が社長によって承認されたときは、次の事項を誠実に遵守して、これを適正に執行しなければならない。

　(1)　金銭出納規程その他の経理諸規程

　(2)　業務分掌

　(3)　職務権限規程

　(4)　関係法令

（給与・賞与費予算の月間支出計画）

第11条　人事部長は、毎月10日までに翌月の給与・賞与費支出計画を作成し、これを社長に提出してその承認を得なければならない。

（社長への経過報告）

第12条　人事部長は、社長に対し、給与・賞与費予算の執行状況を適宜適切に報告しなければならない。

（給与・賞与費予算の修正）

第13条　人事部長は、年度の途中において給与・賞与費予算を修正する必要があると認めるときは、社長に次の事項を申し出てその承認を得なければならない。

　(1)　修正を必要とする理由

　(2)　修正の内容

　(3)　修正の実施日

⑷　その他必要事項
(実績の報告)
第14条　人事部長は、給与・賞与費管理年度が終了したときは、遅滞なく給与・賞与費予算の実績を社長に報告しなければならない。
2　実績と予算との間に差異が生じたときは、その原因を分析し、その結果を報告しなければならない。
(付則)
この規程は、○○年○○月○○日から施行する。

(様式1) 給与・賞与費予算承認願

○○年○○月○○日

取締役社長殿

人事部長

○○年度給与・賞与費予算について（伺い）

(1) 総括表

項目	予算	前年度予算	前年度比	算定根拠
1 月例給与				
①基本給				
②諸手当				
計				
2 時間外・休日勤務手当				
3 賞与				
①夏季賞与				
②年末賞与				
計				
4 社会保険料使用者負担				
5 非正社員給与				
合計				

(2) 部門別表

部門	月例給与	時間外・休日勤務手当	賞与	社会保険料	非正社員給与	計

225

(3) 月次表

	月例給与	時間外・休日勤務手当	賞与	社会保険料	非正社員給与	計
4月						
5月						
6月						
7月						
8月						
9月						
上期計						
10月						
11月						
12月						
1月						
2月						
3月						
下期計						
合計						

以上

(様式２) 給与・賞与費予算月間支出計画承認願

〇〇年〇〇月〇〇日

取締役社長殿

人事部長

給与・賞与費予算の月間支出計画について（〇〇年〇〇月）（伺い）

項目	支出予定額	前月支出額	前月比	備考
１　月例給与				
①基本給				
②諸手当				
③時間外・休日勤務手当				
２　賞与				
①夏季賞与				
②年末賞与				
３　社会保険料使用者負担				
４　非正社員給与				
合計				

以上

(様式3) 給与・賞与費予算の修正承認願

○○年○○月○○日
取締役社長殿
人事部長

○○年度給与・賞与費予算の修正について（伺い）

1　修正の内容と理由

項目	当初予算	修正額	当初予算との増減	修正理由
1				
2				
3				
合計				

2　修正年月日
　　○○年○○月○○日付

以上

(様式4) 給与・賞与費予算執行報告書

〇〇年〇〇月〇〇日

取締役社長殿

人事部長

〇〇年度給与・賞与費予算の執行結果について（報告）

項目	予算	実績	予算・実績比	説明
1　月例給与				
①基本給				
②諸手当				
③時間外・休日勤務手当				
2　賞与				
①夏季賞与				
②年末賞与				
3　社会保険料使用者負担				
4　非正社員給与				
合計				

以上

2 経営と総人件費の管理

(1) 総人件費管理の必要性

　会社にとって、給与・賞与および福利厚生費などの人件費はきわめて重要な経費です。サービス業や情報業・知的産業などの中には、経費の大半が人件費で占められているところもあります。

　人件費は、定常的・経常的に発生します。また、その総額が大きいのが一般的です。このため、総人件費の管理が適切でないと、経営の実力に比較して支出が過大・過剰となり、経営は危機に陥ります。

　実際、これまでに経営不振に陥った会社を検証すると、

　・会社の体力や体質に比べて人件費の総額が過剰であった
　・人件費の管理がルーズであった。管理体制があいまいであった
　・総人件費予算が合理的に作成されていなかった

というケースが少なくありません。

　健全・堅実な経営のためには、給与・賞与を中心とする総人件費を合理的に管理することが必要不可欠です。

(2) 人件費の範囲

　管理する人件費の範囲は、正社員のみならず、非正社員も含めて、図表9-3のとおりとするのが現実的・合理的でしょう。

　なお、次のものは、人件費には含めないものとします。

　①　役員報酬
　②　役員賞与
　③　役員退職慰労金
　④　その他役員にかかわるもの（役員交際費等）

図表9－3　人件費の範囲

①　月例給与（基本給、諸手当、時間外・休日勤務手当）
②　賞与（夏季賞与、年末賞与）
③　出張・転勤旅費（国内出張・転勤旅費、海外出張・転勤旅費）
④　退職金
⑤　福利厚生費（法定福利厚生費、法定外福利厚生費）
⑥　募集・採用費
⑦　教育訓練費
⑧　パートタイマー等の非正社員の給与
⑨　人事関係諸会議の開催費用
⑩　その他人事・労務管理に必要な経費

(3)　管理体制と管理方法

①　管理責任者を置く

　給与・賞与等の人件費は、その額がきわめて大きいのが一般的です。したがって、総人件費の管理は、組織的・継続的に行われることが必要です。組織的・継続的に行わないと、その効果をあげることができません。このため、管理責任者を置くこととします。一般的には、人事部長を管理責任者とするとするのが妥当です。

②　総人件費予算の作成

　総人件費の管理を合理的・計画的に行うため、人事部長は、毎年度、総人件費予算を作成し、社長の承認を得るものとします。
　総人件費予算は、図表9－4に示す事項を総合的に勘案して作成します。

図表9－4　総人件費予算の作成に当たって勘案すべき事項

・経済情勢、景気の動向
・当年度の経営方針
・当年度の経営計画
・前年度の総人件費の実績
・労働基準法その他の法令の定め
・その他必要事項

③　総人件費予算の執行

人事部長に対し、次の事項を誠実に遵守して総人件費予算の適正な執行に当たることを求めます。

・金銭出納規程その他の経理諸規程
・業務分掌
・職務権限規程
・関係法令

また、総人件費予算の執行について、次のことを禁止します。

・人事労務管理以外の目的のために流用すること
・人件費予算以外の予算を人事労務管理の目的のために流用すること
・業務上知り得た個人情報を他に漏洩すること

④　総人件費予算の月間支出計画

人件費は、

・毎月継続的に発生するもの
・年に数回、定期的に発生するもの
・臨時的に発生するもの

に区分することができます。

毎月定期的に発生するものの代表は、給与です。給与は、労働基準法の定めるところにより、毎月一定の期日を定めて定期的に支払わな

ければなりません。

これに対して、賞与は、夏季と年末に発生します。

一方、退職金は、社員の退職に伴って、臨時的・突発的に発生します。

人件費の管理を確実に行うためには、毎月支出計画を作成するのがよいでしょう。このため、人事部長は、毎月一定期日までに翌月の人件費支出計画を作成し、これを社長に提出してその承認を得るものとします。

⑤ 人件費予算の執行権限の委譲

人件費の支出は、すべての部門において生じます。人件費をいっさい支出しない部門はあり得ません。このため、人事部長が一人ですべての人件費予算を執行することは不可能です。

業務を円滑に遂行するため、人事部長は、業務上必要であると認めるときは、人件費予算の執行権限の一部を関係部門の長に委譲できるものとします。

この場合、人事部長から人件費予算の執行権限を委譲された者は、委譲された範囲において権限を執行するとともに、その執行状況および結果を人事部長に適宜適切に報告するものとします。

⑥ 執行状況および執行結果の報告請求

人事部長は、総人件費予算の執行権限の一部を関係部門の長に委譲したときは、委譲した者に対して執行状況および結果についての報告を求めることができるものとします。

権限を委譲された者は、人事部長から人件費予算の執行状況または執行結果についての報告を求められたときは、正確に報告しなければならないものとします。

⑦　総人件費予算の修正

　経済情勢の変化、労働市場の変化、あるいは労働法制の新設・改正などにより、経営環境は変化します。

　経営環境は、いつどのように変化するか、なかなか予測しにくいものです。もしも環境が著しく変化したときは、人件費予算を修正します。当初の予算にこだわるのは危険が大きいといえます。

　人事部長は、経営環境の変化により総人件費予算を修正する必要があると認めるときは、社長に次の事項を申し出てその承認を得るものとします。

　　・修正を必要とする理由
　　・修正の内容
　　・修正の実施日
　　・その他必要事項

(4)　総人件費管理のポイント

　経営の健全性・安定性を確保するためには、総人件費の合理的な管理に注意を払うことが必要です。総人件費管理の必要性・重要性は、いくら強調しても強調しすぎることはありません。

　総人件費管理のポイントを取りまとめると、図表９－５のとおりです。

図表9－5　総人件費管理のポイント

① 管理責任者を任命する。
② 毎年度、経営方針・経営計画等を踏まえて予算を作成する。
③ 予算は、月例給与、賞与、福利厚生費等の区分ごとに、支出予定金額を積み上げて作成する。
④ 予算は、各部門の長と十分協議して作成する。
⑤ 総人件費予算について、社長の承認を得る。
⑥ 毎月支出計画を作成し、その計画にしたがって支出する（予算の執行）。
⑦ 人事部長は、必要に応じて、予算の執行権限を部門長に委譲する。執行権限を委譲したときは、権限が適正に執行されているかを適宜適切に監督する。
⑧ 経済情勢の変化、労働市場の変化、労働法令の新設・変更など、経営環境・雇用環境が著しく変化したときは、総人件費予算を修正する。
⑨ 予算の修正については、あらかじめ社長の承認を得る。
⑩ 人事部長は、年度が終了したときは、遅滞なく社長に執行結果を報告する。実績と予算との間に著しい差異が生じたときは、その原因を分析し、その結果を報告する。
⑪ 予算の執行に関する文書・データは、一定期間保存する。

参考　総人件費管理規程

総人件費管理規程

（総則）

第1条　この規程は、社員（非正社員も含む）の総人件費の管理について定める。

2　この規程において、人件費の範囲は、次のとおりとする。

(1) 月例給与（基本給、諸手当、時間外・休日勤務手当）

(2) 賞与（夏季賞与、年末賞与）

(3) 出張・転勤旅費（国内出張・転勤旅費、海外出張・転勤旅費）

(4) 退職金

(5) 福利厚生費

① 法定福利厚生費

② 法定外福利厚生費

(6) 募集・採用費

(7) 教育訓練費

(8) パートタイマー等の非正社員の給与

(9) 人事関係諸会議の開催費用

(10) その他人事・労務管理に必要な経費

3　次のものは、人件費には含めないものとする。

(1) 役員報酬

(2) 役員賞与

(3) 役員退職慰労金

(4) その他役員にかかわるもの

（予算年度）

第2条　総人件費の予算年度は、4月1日から翌年3月31日までの1年とする。

（管理責任者）
第3条　総人件費の管理責任者は、人事部長とする。
2　人事部長を欠くとき、または事故あるときは、次の者が次の順序で管理責任者となる。
　(1)　人事部次長
　(2)　人事課長

（総人件費予算の作成）
第4条　人事部長は、毎年度、総人件費予算を作成し、社長の承認を得なければならない。

（総人件費予算の作成基準）
第5条　人事部長は、次のものを踏まえて総人件費予算を作成しなければならない。
　(1)　経済情勢、景気の動向
　(2)　当年度の経営方針
　(3)　当年度の経営計画
　(4)　前年度の総人件費の実績
　(5)　労働基準法その他の法令の定め
　(6)　その他必要事項
2　総人件費予算の作成に当たっては、関係各部門の長と十分協議しなければならない。

（総人件費予算の執行）
第6条　人事部長は、総人件費予算が社長によって承認されたときは、次の事項を誠実に遵守してこれを適正に執行しなければならない。
　(1)　金銭出納規程その他の経理諸規程
　(2)　業務分掌
　(3)　職務権限規程
　(4)　関係法令

（総人件費予算執行上の禁止事項）

第7条　人事部長は、総人件費予算の執行について、次に掲げることをしてはならない。

⑴　人事労務管理以外の目的のために流用すること

⑵　人件費予算以外の予算を人事労務管理の目的のために流用すること

⑶　業務上知り得た個人情報を他に漏洩すること

（総人件費予算の月間支出計画）

第8条　人事部長は、毎月10日までに翌月の人件費支出計画を作成し、これを社長に提出してその承認を得なければならない。

2　人件費支出計画は、関係各部門の長と十分協議して作成しなければならない。

（人件費予算の執行権限の委譲）

第9条　人事部長は、業務上必要であると認めるときは、人件費予算の執行権限の一部を関係部門の長に委譲することができる。

（権限を委譲された者の心得）

第10条　前条の定めるところにより、人事部長から人件費予算の執行権限を委譲された者は、委譲された範囲において権限を執行するとともに、その執行状況および結果を人事部長に適宜適切に報告しなければならない。

（執行状況および執行結果の報告請求）

第11条　人事部長は、総人件費予算の執行権限の一部を関係部門の長に委譲したときは、委譲した者に対して執行状況および結果についての報告を求めることができる。

（人事部長への報告）

第12条　権限を委譲された者は、前条の定めるところにより、人事部長から報告を求められたときは、正確に報告しなければならない。

(関係文書・データの保存)

第13条　人事部長は、総人件費予算の執行に関する文書およびデータを、文書・データ保存規程に定める期間保存しておかなければならない。

(社長への経過報告)

第14条　人事部長は、社長に対し、総人件費予算の執行状況を適宜適切に報告しなければならない。

(総人件費予算の修正)

第15条　人事部長は、総人件費予算を修正する必要があると認めるときは、社長に次の事項を申し出てその承認を得なければならない。

(1)　修正を必要とする理由

(2)　修正の内容

(3)　修正の実施日

(4)　その他必要事項

(実績の報告)

第16条　人事部長は、総人件費予算年度が終了したときは、遅滞なく総人件費予算の実績を社長に報告しなければならない。

2　実績と予算との間に差異が生じたときは、その原因を分析し、その結果を報告しなければならない。

(調査研究)

第17条　人事部長は、次の事項の調査研究に努めなければならない。

(1)　適正人件費の算定に関すること

(2)　人件費予算の適正な執行に関すること

(3)　その他人件費に関すること

(付則)

この規程は、〇〇年〇〇月〇〇日から施行する。

(様式1）総人件費予算承認願

○○年○○月○○日

取締役社長殿

人事部長

○○年度総人件費予算について（伺い）

項目	予算	前年度予算	前年度比	算定根拠
1　月例給与				
①基本給				
②諸手当				
③時間外・休日勤務手当				
2　賞与				
①夏季賞与				
②年末賞与				
3　出張・転勤旅費				
①国内出張旅費				
②海外出張旅費				
4　退職金				
5　福利厚生費				
①法定福利厚生費				
②法定外福利厚生費				
6　募集・採用費				
①就職情報サイト掲載費				

②会社説明会開催費				
③その他				
7　教育訓練費				
8　人事関係諸会議開催費				
9　パートタイマー等非正社員給与				
10　その他				
合計				

以上

(様式２）総人件費予算月間支出計画承認願

〇〇年〇〇月〇〇日

取締役社長殿

人事部長

総人件費予算の月間支出計画について（〇〇年〇〇月）（伺い）

項目	支出計画	前月支出額	前月比	備考
1　月例給与				
①基本給				
②諸手当				
③時間外・休日勤務手当				
2　賞与				
①夏季賞与				
②年末賞与				
3　出張・転勤旅費				
①国内出張旅費				
②海外出張旅費				
4　退職金				
5　福利厚生費				
①法定福利厚生費				
②法定外福利厚生費				
6　募集・採用費				
①就職情報サイト掲載費				

②会社説明会開催費				
③その他				
7　教育訓練費				
8　人事関係諸会議開催費				
9　パートタイマー等非正社員給与				
10　その他				
合計				

以上

(様式３) 総人件費予算の修正承認願

○○年○○月○○日

取締役社長殿

人事部長

○○年度総人件費予算の修正について（伺い）

1　修正の内容と理由

項目	当初予算	修正額	当初予算との増減	修正理由
1				
2				
3				
4				
5				
合計				

2　修正年月日
　○○年○○月○○日付

以上

（様式４）総人件費予算執行報告書

〇〇年〇〇月〇〇日

取締役社長殿

人事部長

〇〇年度総人件費予算の執行結果について（報告）

項目	予算	実績	予算・実績比	説明
1　月例給与				
①基本給				
②諸手当				
③時間外・休日勤務手当				
2　賞与				
①夏季賞与				
②年末賞与				
3　出張・転勤旅費				
①国内出張旅費				
②海外出張旅費				
4　退職金				
5　福利厚生費				
①法定福利厚生費				
②法定外福利厚生費				
6　募集・採用費				

①就職情報サイト掲載費				
②会社説明会開催費				
③その他				
7　教育訓練費				
8　人事関係諸会議開催費				
9　パートタイマー等非正社員給与				
10　その他				
合計				

以上

【著者紹介】

荻原　勝（おぎはら　まさる）
東京大学経済学部卒業。人材開発研究会代表。経営コンサルタント

〔著書〕
『選択型人事制度の設計と社内規程』、『コロナ禍の社内規程と様式』、『残業時間削減の進め方と労働時間管理』、『就業規則・給与規程の決め方・運用の仕方』、『働き方改革関連法への実務対応と規程例』、『人事考課制度の決め方・運用の仕方』、『人事諸規程のつくり方』、『実務に役立つ育児・介護規程のつくり方』、『人件費の決め方・運用の仕方』、『諸手当の決め方・運用の仕方』、『多様化する給与制度実例集』、『改訂版　給与・賞与・退職金規程』、『役員・執行役員の報酬・賞与・退職金』、『新卒・中途採用規程とつくり方』、『失敗しない！新卒採用実務マニュアル』、『節電対策規程とつくり方』、『法令違反防止の内部統制規程とつくり方』、『経営管理規程とつくり方』、『経営危機対策人事規程マニュアル』、『ビジネストラブル対策規程マニュアル』、『社内諸規程のつくり方』、『執行役員規程と作り方』、『改訂版　執行役員制度の設計と運用』、『個人情報管理規程と作り方』、『改訂３版　役員報酬・賞与・退職慰労金』、『取締役・監査役・会計参与規程のつくり方』、『人事考課表・自己評価表とつくり方』、『出向・転籍・派遣規程とつくり方』、『IT時代の就業規則の作り方』、『福利厚生規程・様式とつくり方』、『すぐ使える育児・介護規程のつくり方』（以上、経営書院）など多数。

改訂版　賞与の決め方・運用の仕方
2022年11月19日　第1版　第1刷発行　　　定価はカバーに表示してあります。

著　者　荻原　　勝

発行者　平　　盛之

発行所　㈱産労総合研究所
　　　　出版部　経営書院

〒100－0014
東京都千代田区永田町1—11—1　三宅坂ビル
電話03(5860)9799　https://www.e-sanro.net/

落丁・乱丁本はお取り替えいたします。　　印刷・製本　中和印刷株式会社
本書の一部または全部を著作権法で定める範囲を超えて、無断で複写、複製、転載すること、および磁気媒体等に入力することを禁じます。

ISBN978-4-86326-339-0